KT-529-868

ADVANCED SPANISH VOCABULARY

Isabel Melero Orta

MARY GLASGOW PUBLICATIONS

© Isabel Melero Orta 1995

The right of Isabel Melero Orta to be identified as author of this work has been asserted by her in accordance with the Copyright, Designs and Patents Act 1988.

All rights reserved. No part of this publication may be reproduced or transmitted in any form or by any means, electronic or mechanical, including photocopy, recording, or any information storage and retrieval system, without permission in writing from the publisher or under licence from the Copyright Licensing Agency Limited. Further details of such licences (for reprographic reproduction) may be obtained from the Copyright Licensing Agency Limited, of 90 Tottenham Court Road, London W1P 0LP.

First published in 1995 by:
Mary Glasgow Publications
An imprint of Stanley Thornes (Publishers) Ltd
Ellenborough House
Wellington Street
CHELTENHAM GL50 1YW
England

98 99 00 01 02 / 10 9 8 7 6 5 4 3

A catalogue record for this book is available from the British Library.

ISBN 0 7487 1921 0

Typeset by Tech-Set, Gateshead, Tyne & Wear
Printed and bound in Great Britain by Redwood Books, Trowbridge, Wiltshire

ÍNDICE

INTRODUCCIÓN

Este libro ha sido escrito para ayudarte a adquirir el vocabulario que necesitas en temas que van desde la literatura hasta el medio ambiente.

Las palabras y las frases que contiene han sido clasificadas por temas, de forma que te puedan ser de utilidad para realizar composiciones orales o escritas, o bien como medio de repaso antes de un examen.

Sus quince capítulos tratan de temas de actualidad en España y contienen vocabulario y frases que reflejan los últimos cambios en el uso de la lengua.

En general no van incluidas las formas femeninas de las ocupaciones que se forman de una manera regular, p.ej., *enfermero – enfermera, vendedor – vendedora, capitán – capitana*, ni las que tienen la misma forma que la masculina, p.ej., *artista, representante.*

A través de la sección *Cómo ampliar tu vocabulario* aprenderás nuevas estrategias para memorizar palabras y frases. Elabora tu propio cuaderno de vocabulario donde puedas ir recopilando las palabras y expresiones que vayas aprendiendo. ¡Y no te olvides de utilizar un buen diccionario!

¡Buena suerte y diviértete!

Abreviaturas.

adj	adjective	*f*	feminine	*ej:*	ejemplo
adv	adverb	*fig*	figurative	*p.ej.*	por ejemplo
approx	approximately	*inf*	informal		
coll	colloquial	*sl*	slang		
euph	euphemism				

Las direcciones de las páginas 84–5 te servirán para obtener más información sobre los temas que te interesen. Encontrarás un modelo de carta en la página 18.

La Pareja

abandonar	to abandon
el adulterio	adultery
el afecto	affection
la agencia matrimonial	dating agency
el ama de casa (f)	housewife
el amante	lover
el amor	love
la anticoncepción	contraception
el banco de esperma	sperm bank
el bígamo	bigamist
bisexual	bisexual
casarse (con)	to get married (to)
cohabitar	to live together
el compañero	partner
la comprensión	understanding
la confianza	trust
confiar (en alguien)	to trust (someone)
el conflicto	conflict
convivir	to live together
dar a luz	to give birth
la descendencia	offspring
la discusión	argument
el divorcio	divorce
enamorarse	to fall in love
estar/ser celoso	to be jealous/to be a jealous person

estar comprometido	to be engaged
la fidelidad	faithfulness
heterosexual	heterosexual
el hijo adoptivo	adopted child
homosexual	homosexual
la honestidad	honesty
la incompatibilidad	incompatibility
infiel	unfaithful
lesbiana	lesbian
la madrastra	stepmother
el matrimonio	marriage
la monogamia	monogamy
el novio/la novia	boyfriend/girlfriend
el padrastro	stepfather
la planificación familiar	family planning
la relación	relationship
la relación sexual	sexual intercourse
el respeto	respect
el sentimiento	feeling
la separación	separation
sexista	sexist
el suegro/la suegra	father/mother-in-law
las tareas domésticas	housework
la tolerancia	tolerance

2

una madre soltera/un padre soltero	*single parent*
las citas por ordenador	*computer-dating*
recibir apoyo del/de la compañero/a	*to get support from one's partner*
la relación padre-hijo	*relationship between father and child*
abandonar a tu pareja	*to leave your partner*
usar anticonceptivos	*to use contraceptives*
incompatibilidad de caracteres	*mutual incompatibility*
la custodia de los hijos	*custody of the children*
obtener el divorcio	*to get divorced*
cometer adulterio	*to commit adultery*
tener una aventura amorosa	*to have an affair*
inseminación artificial	*artificial insemination*
irse a vivir juntos	*to move in together*
criar a tus hijos	*to bring up your children*
prueba de paternidad	*paternity test*

LA MUJER

los derechos de la mujer	*women's rights*
la discriminación sexual	*sexual discrimination*
la emancipación de la mujer	*emancipation of women*
el embarazo	*pregnancy*
la esterilidad	*infertility*
exitoso	*successful*
la feminidad	*femininity*
el feminismo	*feminism*
el/la feminista	*feminist*
la guardería	*crèche*
la igualdad	*equality*
la independencia	*independence*
liberado	*liberated*
el machismo	*male chauvinism*
los malos tratos (a la mujer)	*wife battering*
maternal	*motherly*
la maternidad	*motherhood*
la menopausia	*menopause*
el movimiento feminista	*feminist movement*
la ovulación	*ovulation*
el parto	*childbirth*
el período	*period*

3

el prejuicio	*prejudice*	la residencia para mujeres maltratadas	
la reafirmación	*reaffirmation*		*refuge for battered women*
realizarse	*to fulfil oneself*	el vestido premamá	*maternity dress*

perder tu virginidad	*to lose your virginity*
tomar la píldora	*to be on the pill*
el acoso sexual	*sexual harassment*
compartir las tareas del hogar	*to share the household jobs*
ser tratada como ciudadano de segunda clase	*to be treated as a second-class citizen*
la igualdad de oportunidades	*equal opportunities*
tener acceso a una vida profesional	*to have access to a career*

LA JUVENTUD

la agresividad	*aggressiveness*	estar de moda	*to be fashionable*
el argot callejero	*street slang*	estar pasado de moda	*to be old-fashioned*
la autoridad paternal	*paternal authority*	la incomprensión	*lack of understanding*
la autosuficiencia	*self-sufficiency*	la inseguridad	*insecurity*
el comportamiento	*behaviour*	la pandilla	*gang*
el concierto de rock	*rock concert*	rebelarse (contra)	*to rebel (against)*
crecer	*to grow up*	reñir	*to quarrel*
deprimirse	*to get depressed*	la sed de aventura	*thirst for adventure*
la escala de valores	*scale of values*	sentirse inseguro	*to feel insecure*
escaparse de casa	*to run away from home*	la tribu	*tribe*
		los valores familiares	*family values*

ser un miembro de la tribu	*to be a member of the tribe*
la falta de respeto a los demás	*lack of respect for others*
los jóvenes desocupados	*young people with nothing to do*

el problema de la delincuencia juvenil	*the problem of juvenile delinquency*
el desarrollo de la personalidad	*development of the personality*
querer independizarse	*to want one's independence*
las nuevas generaciones	*the rising generation*

LA VEJEZ

el achaque	*infirmity*
ágil	*agile*
el anciano	*old person*
el asilo	*old people's home*
la clínica	*nursing home*
delicado	*delicate*
depender (de alguien)	*to depend (on someone)*
la dignidad humana	*human dignity*
duro de oído	*hard of hearing*
el enfermero geriátrico	*geriatric nurse*
envejecer	*to get old*
frágil	*fragile*

el/la geriatra	*geriatrician*
la jubilación	*pension*
la jubilación anticipada	*early retirement*
el jubilado	*retired person*
jubilarse	*to retire*
el/la pariente	*relative*
el/la pensionista	*pensioner*
la residencia de ancianos	*old people's home*
el seguro de vida	*life insurance*
senil	*senile*
la senilidad	*senility*
la soledad	*loneliness*
la tercera edad *(euph)*	*senior citizens*

el cuidado de los ancianos	*care of the elderly*
ahorrar para la jubilación	*to save for retirement*
adaptarse a la jubilación	*to adjust to retirement*
estar encerrado en casa	*to be house-bound*
estar en una silla de ruedas	*to be in a wheelchair*
contribuir a la sociedad	*to contribute to society*
una persona de edad *(euph)*	*an elderly person*
actividades para la tercera edad	*activities for the elderly*

LA GENTE FAMOSA

la ambición	*ambition*
culto	*educated*
decidido	*determined*
erudito	*knowledgeable*
escandaloso	*outrageous*
escrupuloso	*scrupulous*
experto	*expert*
extravagante	*extravagant*
el genio	*genius*
la gloria	*glory*
el héroe	*hero*
la heroína	*heroine*
histórico	*historic*
idealista	*idealist*
identificarse (con)	*to identify (with)*
el ídolo	*idol*
imaginativo	*imaginative*
inculto	*uneducated*
la influencia	*influence*
la ingenuidad	*ingenuity*

innovador	*innovative*
inspirar	*to inspire*
el magnate	*tycoon*
el millonario	*millionaire*
la monarquía	*monarchy*
el monumento conmemorativo	*memorial*
notorio	*notorious*
obsesivo	*obsessive*
la personalidad	*personality*
perspicaz	*perceptive*
pionero	*pioneer*
popular	*popular*
precursor	*forerunner*
privilegiado	*privileged*
real	*royal*
sensato	*sensible*
significante	*significant*
singular	*remarkable*
talentoso	*talented*
tenaz	*tenacious*

durante la vida de...	*during the lifetime of ...*
convertirse en leyenda	*to become a legend*
estar en el candelero	*to be in the limelight*
realizar un trabajo pionero en...	*to do pioneering work in ...*
estar totalmente dedicado a...	*to be totally dedicated to ...*
ser famoso en el campo de...	*to be famous in the ... field*
ella tenía una mente brillante	*she had a great mind*

CÓMO AMPLIAR TU VOCABULARIO

El buen uso de los adjetivos es siempre muy útil para dar más vida a tus composiciones. Para aprender nuevos adjetivos prueba el siguiente juego:

Juega con tu compañero: Piensa en un adjetivo, p.ej. *suave*; después piensa en algo que el adjetivo pueda describir, p.ej. *chaqueta* y díselo a tu compañero. Él/ella deberá tratar de adivinar el adjetivo. Si no lo adivina en tres intentos, debes darle el nombre de otro objeto que pueda ser descrito con el mismo adjetivo, p.ej. *pelo*.

Ej: A: Chaqueta.
    B: ¿Una chaqueta *grande*?
    A: No.
    B: ¿Una chaqueta *gruesa*?
    A: No.
    B: ¿Una chaqueta *elegante*?
    A: No. Pelo.
    B: ¿Un pelo *suave*?
    A: ¡Correcto!

¡Cuando tu compañero lo adivine, es tu turno!

LA DIVERSIDAD:
-INMIGRACIÓN Y RACISMO-

LA INMIGRACIÓN

adaptarse	*to fit in*
el asilo político	*political asylum*
buscar asilo	*to seek asylum*
el campamento de refugiados	*refugee camp*
la ciudadanía	*citizenship*
el ciudadano	*citizen*
la concesión de la nacionalidad	*granting of nationality*
el conciudadano	*fellow citizen*
convivir	*to live together*
la deportación	*deportation*
desconcertado	*bewildered*
la emigración	*emigration*
el emigrante	*emigrant*
emigrar	*to emigrate*
establecerse	*to settle down*
étnico	*ethnic*
exiliado/exilado	*exiled*
exiliar/exilar	*to exile*
el exilio	*exile*
la explotación	*exploitation*
el gueto	*ghetto*
la inadaptación	*maladjustment*
la inmigración	*immigration*

el inmigrante	*immigrant*
el inmigrante clandestino	*illegal immigrant*
inmigrar	*to immigrate*
la integración	*integration*
integrarse en la comunidad	*to integrate into the community*
el modo de vida	*way of life*
la naturalización	*naturalization*
el país adoptivo	*country of adoption*
el país anfitrión	*host country*
el país de origen	*country of origin*
el permiso de residencia	*residence permit*
el permiso de trabajo	*work permit*
el proceso integrador	*process of integration*
el refugiado	*refugee*
el refugiado político	*political refugee*
la sociedad pluricultural	*multicultural society*
la solicitud de asilo	*application for asylum*
el visado	*visa*
el visitante	*visitor*
la xenofobia	*xenophobia*
xenófobo	*xenophobic*

pedir el derecho de asilo	*to ask for political asylum*
entrar ilegalmente	*to enter illegally*
integrarse en la sociedad	*to integrate into society*
ser mano de obra barata	*to be a cheap workforce*
concesión de la nacionalidad española	*granting of Spanish nationality*
mejorar el nivel de vida	*to improve one's standard of living*
dificultades con el idioma	*the language difficulty*
no ser capaz de adaptarse a	*to be unable to adapt oneself to*
hacer un esfuerzo para adaptarse a	*to try to adapt oneself to*

EL RACISMO

la agresión	*aggression*
antisemita	*anti-Semitic*
el antisemitismo	*anti-Semitism*
apalear	*to beat up*
el brote de racismo	*outburst of racism*
el cabeza rapada	*skinhead*
la desconfianza	*distrust*
la desigualdad	*inequality*
la discriminación racial	*racial discrimination*
discriminar	*to discriminate*
la diversidad cultural	*cultural diversity*
humillar	*to humiliate*
el incendio provocado	*arson attack*
incitar	*to incite*
insultar	*to taunt*
la intolerancia	*intolerance*

la manifestación	*demonstration*
la marginación	*rejection*
marginado	*rejected*
marginar	*to reject*
neonazi	*neo-Nazi*
oprimir	*to oppress*
el prejuicio	*prejudice*
el racismo	*racism*
racista	*racist*
rechazar	*to reject*
el sarcasmo	*sarcasm*
la segregación racial	*racial segregation*
el terror	*terror*
la ultraderecha	*extreme right-wing*
el/la ultraderechista	*extreme right-winger*
la violencia racista	*racial violence*

9

tener prejuicios raciales	*to be racially prejudiced*
la minoría étnica	*ethnic minority*
ser un ciudadano de segunda categoría	*to be a second-class citizen*
un ataque racista	*a racially-motivated attack*
todos diferentes, todos iguales	*all different, all equal*
la necesidad de una campaña antirracista	*the need for an anti-racist campaign*
convivir en armonía	*to live together harmoniously*
los sentimientos racistas	*racist feelings*
sentirse marginado	*to feel rejected*

CÓMO AMPLIAR TU VOCABULARIO

Cuando busques el significado de una palabra en un diccionario, fíjate en otras palabras que se pueden formar a partir de ella.

P.ej: *democracia*

democracia demócrata democráticamente democrático democratización democratizador democratizar

Así que, cuando mires una palabra en el diccionario, es una buena idea comprobar las palabras que van antes y después de la que estés buscando.

Busca en tu diccionario las palabras: *tolerar, exiliado, oprimir.* Comprueba su significado y el de las palabras que veas antes o después de éstas y que tengan que ver con ellas. Cuando lo hayas hecho, intenta escribir una definición de cada una de ellas en **español**. ¡Es una forma muy rápida de aumentar tu vocabulario y de facilitar el aprendizaje!

LA EDUCACIÓN

LA ESCOLARIDAD

el absentismo escolar
truancy, absenteeism from school

abusar (de alguien) *to bully (someone)*

el abusón (*inf*) *bully*

la asignatura *subject*

autoritario *authoritarian*

el bachillerato *equivalent to GCSE*

el boletín escolar *school report*

BUP (Bachillerato Unificado Polivalente)
secondary school education (14-17) equivalent to GCSE

la capacidad *capacity*

castigar *to punish*

las clases particulares *private classes*

el colegial/la colegiala *pupil*

el colegio privado *private school*

el colegio público *state school*

COU (Curso de Orientación Universitaria) *pre-university year*

el curso escolar *school year*

el director *headmaster*

la disciplina *discipline*

Educación Primaria
primary education

Educación Secundaria
secondary education

EGB (Educación General Básica)
primary and middle school education (6-14)

la escolaridad *schooling*

la excursión escolar *school trip*

faltar a clase *to skip lessons*

FP (Formación Profesional)
technical education

fracasar *to fail*

el fracaso escolar *failure at school*

hacer novillos *to play truant*

el internado *boarding school*

la masificación *overcrowding*

las materias obligatorias
compulsory subjects

matricularse
to enrol (for a course etc.)

mixto *mixed*

la motivación *motivation*

la orientación *guidance*

el parvulario *play school*

los problemas escolares
problems at school

repetir curso *to repeat a year*

el sistema educativo
educational system

sobrecargado *overloaded*

los nuevos métodos de enseñanza
adecuado a las aptitudes del alumno
lograr un mejor rendimiento escolar

the new teaching methods
suited to the aptitudes of the student
to improve the students' performance

11

mejorar la calidad de enseñanza — *to improve the quality of education*
tener en cuenta las capacidades individuales — *to take into account individual abilities*

LOS EXÁMENES

aprobar	*to pass*
copiar	*to copy, to cheat*
la chuleta (*inf*)	*crib*
la evaluación	*assessment*
la evaluación continua	*continuous assessment*
el examen	*examination*
las notas	*marks*
la recuperación	*retake*
sacar/tener un sobresaliente	*to get/have an 'excellent'*
sacar/tener un notable	*to get/have a 'very good'*
sacar/tener un bien	*to get/have a 'good'*
sacar/tener un suficiente	*to get/have a 'satisfactory'*
sacar/tener un insuficiente	*to get/have an 'unsatisfactory'*
sacar/tener un muy deficiente	*to get/have a 'very poor'*
sacar una buena/mala nota	*to get a good/bad mark*
suspender	*to fail*

tenía la mente en blanco — *my mind went blank*
el examen de ingreso — *entrance examination*
presentarse a un examen — *to sit an examination*
hacer un examen escrito/oral — *to take a written/oral exam*

EN LA UNIVERSIDAD

la beca	*grant*
el diploma	*diploma*
diplomarse	*to get a degree (3 years)*
la enseñanza universitaria	*university education*
la facultad	*faculty*
el lector	*foreign language assistant*
licenciarse	*to get a degree (4–5 years)*
la licenciatura	*degree*
la selección	*selection*
la selectividad	*university entrance exams*
ser licenciado	*to have a degree*
la solicitud de admisión	*entry application*
la tesis doctoral	*doctoral thesis*
el título	*qualification*
universitario (*adj*)	*university*

el sistema universitario	*the university system*
Universidad Nacional de Educación a Distancia (UNED)	*(approx) Open University*
matricularse en un curso de informática	*to sign on for a course in computing*
ser licenciado en Económicas	*to have a degree in Economics*
el ambiente universitario	*the university atmosphere*
un intercambio de ideas	*an exchange of ideas*
inscribirse a un curso	*to register for a course*
la vida de estudiante	*student life*

CÓMO AMPLIAR TU VOCABULARIO

Para ampliar tu vocabulario puedes hacer juegos sencillos como las cadenas de palabras: el primer jugador dice una palabra y el siguiente debe decir otra que empiece por la última letra de esta palabra.

Limita el juego a un campo concreto (en el siguiente ejemplo el tema es la educación).

P.ej: *sobresaliente – educación – notable – escuela – absentismo – orientación – nota – aprobar – repetir...*

Quien no pueda dar una palabra o repita una ya dicha, queda descalificado.

EL TRABAJO

EL DESEMPLEO

la agencia de colocaciones	employment agency
el aislamiento	isolation
el amor propio	self-esteem
las cifras del paro	unemployment figures
el conflicto laboral	labour dispute
la conversión	conversion
la depresión	depression
desempleado	unemployed
el desempleo	unemployment
la desesperación	hopelessness
despedir	to dismiss, to fire
el despido	dismissal
la dimisión	resignation
dimitir	to resign

echar del trabajo (*inf*)	to give the sack
las estadísticas	statistics
estar parado	to be unemployed
la falta de trabajo	lack of work
la frustración	frustration
la indemnización por despido	redundancy payment
el mercado de trabajo	job market
la oficina de empleo	job centre
los parados	unemployed people
la población activa	active population
la reducción de personal	staff cutbacks
el subsidio de desempleo	unemployment benefit
el tedio	boredom
la vacante	vacancy

sentirse inútil	to feel useless
tener serias dificultades económicas	to have serious economic difficulties
la experiencia laboral	work experience
la falta de alicientes para los jóvenes	lack of incentives for young people
apuntarse al paro	to sign on
buscar/perder un trabajo	to look for/lose a job
crear puestos de trabajo	to create jobs
el plan para la creación de empleo	job creation scheme
trabajos de media jornada en lugar de despidos en masa	part-time jobs instead of mass redundancies
no tener perspectivas	to have no prospects
perder la independencia	to lose independence

LA BÚSQUEDA DE TRABAJO

el anuncio de trabajo	*job advert*
el aspirante	*applicant*
la carta explicatoria	*covering letter*
las condiciones de empleo	*conditions of employment*
el contrato de trabajo	*work contract*
el currículo	*curriculum vitae*
el departamento de personal	*personnel department*
la descripción del trabajo	*job description*
la entrevista	*interview*

entrevistar	*to interview*
la experiencia profesional	*professional experience*
la hoja de solicitud	*application form*
la oferta de empleo	*job offer*
la oposición	*competitive examination*
las perspectivas de trabajo	*job prospects*
el rechazo	*rejection*
la recomendación	*testimonial*
la referencia	*reference*
el solicitante	*applicant*
la solicitud	*application*
la titulación	*qualifications*

solicitar un puesto de trabajo en X	*to apply for a job at X*
X dará referencias sobre mí	*X is acting as my referee*
enviar carta explicatoria y currículo a X	*to send a covering letter and curriculum vitae to X*
hemos escogido a X para el puesto	*we have chosen X for the job*
emplear a alguien	*to take someone on*
una compañía me ha ofrecido un puesto	*I have been offered a job by a company*
buena suerte en tu nuevo trabajo	*good luck in your new job*

EN LA OFICINA

el archivo	*file*
la centralita	*switchboard*
el clasificador	*filing cabinet*
la conexión telefónica	*telephone connection*
el contestador automático	*answerphone*

el despacho	*office*
la documentación	*documentation*
la extensión	*extension*
el facsímile (fax)	*facsimile (fax)*
la fotocopiadora	*photocopier*
el inalámbrico	*cordless*
el interfono	*interphone*

la llamada internacional — *international call*

la llamada telefónica — *phone call*

mandar por fax — *to fax*

la máquina de escribir — *typewriter*

la ofimática — *office automation*

poner con *to put through to (on phone)*

por teléfono — *by phone*

el prefijo — *dialling code*

el procesador de textos — *word processor*

el regalo promocional — *promotional gift*

la taquigrafía — *shorthand*

la tarjeta comercial — *business card*

el teléfono portátil — *mobile phone*

el vehículo de la empresa *company car*

EL MUNDO DEL TRABAJO

el año sabático — *sabbatical year*

el área de responsabilidad — *area of responsibility*

el ascenso — *promotion*

el aumento de sueldo — *pay rise*

la baja maternal — *maternity leave*

la baja retribuida — *paid leave*

la burocracia — *bureaucracy*

el comité de empresa — *works committee*

la competitividad — *competitiveness*

las condiciones de trabajo — *working conditions*

la conferencia — *conference*

confidencial — *confidential*

contratar — *to employ*

la cooperación — *co-operation*

la degradación — *demotion*

el departamento — *department*

el día de paga — *pay day*

emplear — *to employ*

estar en huelga — *to be on strike*

los gastos de transporte — *travel expenses*

la guardería — *crèche*

las horas extraordinarias — *overtime*

el horario flexible — *flexi-time*

la incapacidad laboral — *unfitness for work*

la jerarquía — *hierarchy*

la junta general — *general meeting*

las normas de seguridad — *safety regulations*

el período de prueba — *probationary period*

la profesión — *profession*

el profesional — *professional*

la responsabilidad — *responsibility*

la reunión — *meeting*

el salario — *salary*

el seminario — *seminar*

los servicios de administración — *management services*

el sindicato — *union*

la tarea — *job, task*

el trabajador autónomo — *self-employed person*

el trabajo de jornada completa — *full-time job*

el trabajo de media jornada		las vacaciones retribuidas	
	part-time job		*paid holidays*
el trabajo en equipo	*team work*	el viaje de trabajo	*business trip*

firmar un contrato	*sign a contract*
concertar una cita	*to make an appointment*
hacer negocios con alguien	*to do business with someone*
tener una conversación	*to have a conversation*
X está de baja por enfermedad	*X is off sick*
retirarse	*to retire*
dejar el trabajo	*to quit one's job*
trabajar por cuenta propia/ser trabajador autónomo	*to be self-employed*
convocar una huelga	*to call a strike*
desconvocar una huelga	*to call off a strike*
estar en huelga	*to be on strike*

EL PERSONAL

el abastecedor	*supplier*
el accionista	*shareholder*
el agente	*agent, dealer*
el asesor	*consultant*
el cliente	*customer*
el colega	*colleague*
el comprador	*purchaser*
el contable	*accountant*
la direccción	*management*
el director de ventas	*sales manager*
el director general	*managing director*
el empleado	*employee*
el empleado eventual	
	temporary worker

el encargado	*foreman*
el fabricante	*manufacturer*
la gente de negocios	*business people*
el intermediario	*middleman*
el jefe	*boss*
el líder	*leader*
el líder del equipo	*team leader*
la mano de obra	*workforce*
el mecanógrafo	*typist*
el obrero	*worker*
el oficinista	*office worker*
el ordenanza	*office boy*
el peón	*unskilled worker*
el personal/la plantilla	*staff*
el propietario	*owner*

17

el proveedor	*supplier*		el socio	*business partner*
el representante	*representative*		el vendedor	*sales assistant*
el secretario	*secretary*			

el sueldo mensual es de 200.000 pesetas netas	*the monthly salary is 200,000 pesetas net*
avisar con una semana de antelación	*to give one week's notice*
conseguir un trabajo eventual	*to get a temporary job*
recibir la paga extraordinaria de Navidad	*to get a Christmas bonus*
trabajar de 9 a 5	*to work from 9 to 5*
ser un trabajador de cuello blanco	*to be a white-collar worker*

CÓMO AMPLIAR TU VOCABULARIO

Aquí tienes un modelo de carta en español que puede usarse para pedir información sobre un tema que te interese:

Estimado señor/a:

Soy un(a) estudiante de español en NAME OF SCHOOL/COLLEGE/UNIVERSITY. Estoy haciendo un estudio sobre NAME OF TOPIC y me dirijo a usted para solicitarle información sobre el tema.

Si usted dispone de folletos u otra documentación que pueda serme de utilidad, le estaría muy agradecido(a) si pudiera enviarla a la siguiente dirección: ADDRESS OF YOUR SCHOOL/COLLEGE/UNIVERSITY.

Agradeciéndole de antemano su atención, me despido atentamente,

Lee Tate

EL TIEMPO LIBRE

EL DEPORTE

el aficionado	*supporter*
agotador	*exhausting*
el ala delta	*hang-glider*
la amonestación	*warning*
apostar	*to bet*
el árbitro	*referee*
el ataque	*attack*
el atleta	*athlete*
el atletismo	*athletics*
el boxeo	*boxing*
bucear	*to skin-dive*
el calentamiento	*warm-up*
el campeón	*champion*
el campeonato	*championship*
el campo de entrenamiento	*training camp*
la cancha/pista de tenis	*tennis court*
el capitán	*captain*
la carrera	*race*
la carrera de relevos	*relay race*
el club	*club*
la competición	*competition*
competir con	*to compete against*
la copa	*cup*
el corredor de fondo	*long-distance runner*
correr	*to run*
el cuadrilátero	*(boxing) ring*

defender	*to defend*
el defensa	*defence*
el delantero	*forward*
el deporte de equipo	*team sport*
los deportes acuáticos	*water sports*
los deportes de competición	*competitive sports*
los deportes de invierno	*winter sports*
el deportista profesional	*professional sportsperson*
derrotar	*to defeat*
descalificar	*to disqualify*
el doping	*doping, drug-taking*
el ejercicio	*exercise, movement*
eliminar	*to eliminate*
la eliminatoria	*heat*
empatar	*to draw*
el entrenador	*coach*
entrenar	*to train*
el equipo	*team*
el equipo rival	*the opposing team*
el espectador	*spectator*
el espíritu de equipo	*team spirit*
esquiar	*to ski*
el estadio	*stadium*
el éxito	*success, achievement*
expulsar	*to send off*
la falta	*foul*
el fichaje	*signing (up)*

la final	*final*	el polideportivo	*sports centre*
el finalista	*finalist*	la popularidad	*popularity*
la gimnasia	*gymnastics*	el portero	*goalkeeper*
el hincha	*supporter*	la reaparición	*come-back*
el hipódromo	*racetrack*	el récord mundial	*world record*
invencible	*unbeatable*	la regla	*rule*
el juego sucio	*foul play*	la resistencia	*stamina*
el juez de silla	*umpire (tennis)*	el resultado final	*final score*
el jugador nacional	*native-born player*	el seguidor	*fan*
la medalla	*medal*	la semifinal	*semi-final*
noquear	*to knock out*	la táctica	*tactic*
el oponente	*opponent*	la temporada	*season*
el participante	*participant*	tomar parte	*to take part*
el partido en casa/fuera de casa	*home/away match*	el torneo	*tournament*
el patinaje sobre hielo	*ice skating*	el traspaso	*transfer*
el patrocinador	*sponsor*	las vallas	*hurdles*
el penalti	*penalty (kick)*	vencer	*to beat*
perder	*to lose*	la victoria	*victory*
las pistas de esquí	*ski slopes*	la vuelta	*lap, round*

entrenar hasta cinco horas diarias	*to train up to five hours a day*
el árbitro expulsó a X	*the referee sent X off*
la lucha por el título	*the fight for the title*
X llegó a la semifinal	*X got through to the semi-final*
el resultado era 2 a 3 al medio tiempo	*the score was 2-3 at half time*
X derrotó a Y por seis a uno	*X beat Y 6-1*
¿cómo estamos?/¿cómo va esto?	*what's the score?*
batir un récord	*to break a record*
una carrera contra reloj	*a race against the clock*
participar en una carrera	*to run a race*
hacer deporte	*to take part in sport*

los Juegos Olímpicos	*The Olympic Games*
estar fuera de juego	*to be offside*
ganar el título	*to win the title*
el resultado es empate a dos	*the result is a two-all draw*
conseguir una medalla de bronce	*to get a bronze medal*
detentar el récord mundial	*to hold the world record*
mezclar el deporte y la política	*to mix sport and politics*
marcar cinco goles	*to score five goals*
el Real Sociedad empató con el Real Madrid	*Real Sociedad drew with Real Madrid*

LAS AFICIONES

el aburrimiento	*boredom*
agradable	*enjoyable*
artístico	*artistic*
autodidacto	*self-taught*
el bricolage	*DIY*
la clase nocturna	*evening class*
el club juvenil	*youth club*
la colección	*collection*
coleccionar	*to collect*
costoso	*costly*
distraerse (*inf*)	*to switch off*
dotado	*gifted*
la educación de adultos	*adult education*
entendido	*knowledgeable*
entusiasta	*enthusiastic*
escuchar música	*to listen to music*
la experiencia	*experience*
fanático	*fanatic*
fascinante	*fascinating*
la fotografía	*photography*
gratificante	*rewarding*
individual	*individual*
el interés	*interest*
la jardinería	*gardening*
jugar al ajedrez	*to play chess*
el miembro	*member*
musical	*musical*
ocioso	*idle*
original	*original*
la pasión	*passion*
el placer	*pleasure*
popular	*popular*
práctico	*practical*
la relajación	*relaxation*
relajarse	*to relax*
revelar fotografías	*to develop photographs*
sociable	*sociable*
el talento	*talent*
talentoso	*talented*
el tiempo libre	*free time*

21

hacer trabajo voluntario	*to do voluntary work*
hacer algo como una afición	*to do something as a hobby*
ser un entusiasta de algo	*to be enthusiastic about something*
aprovechar el tiempo	*to make good use of time*
aficionarse a algo	*to become fond of something*
hacer algo constructivo	*to do something constructive*
desarrollar tus aptitudes	*to develop your aptitudes*

EL TURISMO

la agencia de viajes	*travel agency*
el alojamiento	*accommodation*
alquilar un coche	*to hire a car*
el alquiler	*rent*
animado	*lively*
aventurero	*adventurous*
broncearse	*to get a suntan*
la cancelación	*cancellation*
el centro turístico	*tourist centre*
el cheque de viaje	*traveller's cheque*
el conductor	*driver*
las costumbres	*customs*
el crucero	*cruise*
descubrir	*to discover*
el destino	*destination*
la distancia	*distance*
divertirse	*to have fun*
la estancia	*stay*
la excursión	*outing, trip*
el excursionista	*day-tripper*
explorar	*to explore*

facturar el equipaje	*to check in luggage*
el ferry	*ferry*
la fiesta	*festivity*
el fin de temporada	*end of season*
firmar el registro	*to check in (at hotel)*
el folleto de viajes	*travel brochure*
el guía	*guide (person)*
la guía	*guide book*
hacer autostop	*to hitch hike*
hacer turismo	*to go sightseeing*
la industria del turismo	*tourist industry*
la industria hotelera	*hotel industry*
el interés histórico	*historical interest*
irse de vacaciones	*to go away on holiday*
el itinerario	*itinerary*
el libro de reclamaciones	*complaints book*
la llegada	*arrival*
el mapa de carreteras	*route map*
marearse	*to get travel-sick*
la media pensión	*half-board*
la moneda	*currency*

montar (una tienda)	*to pitch (a tent)*
el monumento	*monument*
mundialmente famoso	*world famous*
la oferta especial	*special offer*
la oficina de turismo	*tourist office*
el pasajero	*passenger*
el pasaporte	*passport*
pasear	*to walk*
pintoresco	*picturesque*
planear	*to plan*
el precio	*price*
procedente de	*coming from*
la recepción	*check-in desk*
la reclamación	*complaint*
reclamar	*to reclaim (baggage)*
recuperarse	*to recover, to recuperate*
relajarse	*to relax*
reservar	*to reserve*
el retraso	*delay*
la sala de espera	*waiting room*

la salida	*departure*
el seguro de viaje	*travel insurance*
el suplemento	*supplement*
la temporada alta/baja	*high/low season*
tomar el sol	*to sunbathe*
el transbordador	*ferry*
el transbordo	*transfer*
el turismo de calidad	*quality tourism*
el turismo de masas	*mass tourism*
la vacunación	*vaccination*
ver mundo	*to see the world*
la vía	*platform*
el viaje en barco	*boat trip*
el viaje organizado	*package holiday*
la vida nocturna	*night life*
visitar	*to visit*
la vista	*view*
el vuelo chárter	*charter flight*
el vuelo regular	*scheduled flight*
la zona costera	*coastal area*

puedes visitar el país en cualquier época del año	*you can visit the country at any time of the year*
estar afectado por el desfase de horario	*to be affected by jetlag*
muchos puestos de trabajo dependen de la demanda turística	*many jobs rely on the demand from tourists*
el turismo constituye su mayor industria	*the tourist trade is their biggest industry*
ahora se hace más turismo que nunca	*there's more tourism than ever now*
hacer un recorrido turístico de la ciudad	*to see the sights of the city*
el turismo tiene un valor educativo	*tourism has an educational value*
alejado de la rutina diaria	*away from the daily routine*

23

está a tres horas de vuelo de Madrid	*it is a three-hour flight from Madrid*
el turismo de masas es un fenómeno relativamente moderno	*mass tourism is a relatively modern phenomenon*
el turismo desempeña un papel fundamental en la economía española	*tourism plays a substantial role in the Spanish economy*

CÓMO AMPLIAR TU VOCABULARIO

Cuando estés aprendiendo nuevas palabras, no siempre necesitas traducirlas al inglés. Muchas veces es mucho mejor definirlas o buscar palabras con un significado similar.

P.ej. *Polideportivo – un centro donde se pueden practicar muchos deportes.*

Prueba a hacer tus propias definiciones:

competición	*cheque de viaje*	*bucear*	*monumento*
entrenador	*pasaporte*	*jardinería*	*turismo*

De ahora en adelante, cuando aprendas nuevas palabras, piensa en una definición y anótala en tu cuaderno de vocabulario.

THE HENLEY COLLEGE LIBRARY

LA CULTURA

LA LITERATURA

acentuar	to stress
el antihéroe	antihero
la antiheroína	antiheroine
la autobiografía	autobiography
el autor	author
el best-seller	best-seller
el capítulo	chapter
la cita	quote
citar	to quote
la comparación	comparison
comparar	to compare
contemporáneo	contemporary
el crítico	critic
el cuento de hadas	fairy tale
los derechos de autor	copyright
el desarrollo	development
detallado	detailed
el diálogo	dialogue
el drama	drama
la edición	edition
la edición especial	special edition
editar	to publish
el editorial	editorial
la editorial	publisher (company)
enfatizar con	to empathize with
la épica	epic

el escritor	author, writer
el extracto	excerpt
la fábula	fable
la ficción	fiction
la figura	character
el filósofo	philosopher
el final feliz	happy ending
el género	genre
el héroe	hero
la heroína	heroine
la introducción	introduction
la ironía	irony
la leyenda	legend
el libro de bolsillo	pocket book
el libro de tapa dura	hardback
el libro en rústica	paperback
la lírica	poetry
la literatura no novelesca	non-fiction
la metáfora	metaphor
la moral	moral
el narrador	narrator
la narrativa	narrative
la novela	novel
la novela policíaca	detective story
la novela romántica	romantic novel
la obra maestra	masterpiece
la opinión	opinion, view

25

el párrafo	*paragraph*	rimar	*to rhyme*
el pensamiento	*thought*	el romanticismo	*romanticism*
el personaje	*character*	satírico	*satirical*
el poema	*poem*	simbólico	*symbolic*
la poesía	*poetry*	el símil	*simile*
el poeta/la poetisa	*poet*	el surrealismo	*surrealism*
poético	*poetic*	el tema central	*leitmotif*
el prefacio	*preface*	la tirada	*print-run*
la prosa	*prose*	el tópico	*cliché*
publicar	*to publish*	la traducción	*translation*
el realismo	*realism*	la versión íntegra	*unabridged version*
la reimpresión	*reprint*	el verso	*verse*
retratar	*to portray*	el volumen	*volume*
la rima	*rhyme*		

la última obra	*the latest work*
escrito en un estilo vivo	*written in a lively style*
las obras de los treinta a los sesenta	*works from the thirties to the sixties*
el autor conocido en toda Europa	*the author known throughout Europe*
narrado con ironía	*narrated with irony*
el libro publicado en 1994	*the book published in 1994*
en español	*in Spanish*
escrito en primera/tercera persona	*written in the first/third person*

EL TEATRO

abuchear	*to boo*	el aplauso	*applause*
los accesorios	*props*	el argumento	*plot*
el actor	*actor*	la atmósfera	*atmosphere*
la actriz	*actress*	el cambio de escenario	*scene change*
la actuación	*acting*	la comedia	*comedy, play, drama*
aparecer	*to appear*	comunicar	*to convey*
la aparición	*appearance*	el decorado	*scenery*
		el descanso	*interval*

el desenlace	*denouement*	el miedo escénico	*stage fright*
el destino	*fate*	la obra (de teatro)	*play*
la dirección	*direction*	el preestreno	*preview*
dirigir	*to direct*	el premier	*première*
el drama	*drama*	el primer acto	*first act*
dramático	*dramatic*	poner en escena	*to put on stage*
el dramaturgo	*dramatist*	el programa	*programme*
el ensayo	*rehearsal*	el protagonista	*protagonist*
el ensayo general	*dress rehearsal*	el público	*audience*
entre bastidores (*adv*)	*backstage*	el reparto	*cast*
el escenario	*stage*	la representación	*production*
el espectáculo	*performance*	representar	*to portray*
el espectáculo de variedades		el tema	*theme*
	variety show	el tema central	*main theme*
estrenar	*to perform for the first time*	la tragedia	*tragedy*
el estreno	*first night*	la tragicomedia	*tragicomedy*
expresar	*to express*	el tramoyista	*stagehand*
la figura	*figure*	el vestuario	*wardrobe, dressing room*
la función	*performance*		
el lleno	*full house*		

la obra trata de...	*the play is about ...*
tiene lugar en el siglo XVI	*it takes place in the 16th century*
el personaje central de esta historia	*the central character of this story*
la escena tiene lugar en X	*the scene takes place in X*
ganar el Premio Nobel de Literatura	*to win the Nobel Prize for Literature*
estar en el escenario	*to be on stage*
ella hizo el papel de Isolda	*she played the part of Isolde*
X siempre está siendo puesto en escena	*X is always being staged*
ir de gira	*to go on tour*
ganó un premio	*it won a prize*
una representación exitosa	*a successful production*

27

interpretar una obra	*to perform a play*
mantiene el interés del público	*holds the audience's attention*
una comedia innovadora	*an innovative comedy*
el mensaje de esta obra es	*this play's message is*

EL CINE

la banda sonora	*sound track*
el cine	*cinema*
el cineasta	*film-maker*
el cinéfilo	*cinemagoer*
la continuación	*sequel*
la coproducción	*co-production*
la dirección	*direction*
dirigir	*to direct*
el distribuidor	*distributor*
doblar	*to dub*
los efectos especiales	*special effects*
los efectos sonoros	*sound effects*
en cámara lenta	*in slow motion*
la estrella de cine	*film star*
estrenar	*to release*
el éxito de taquilla	*box-office hit*
los exteriores	*location*
filmar	*to shoot*

el guión	*script*
hacer un papel	*to play a role, to take a part*
no apta para menores	*for adults only*
la pantalla	*screen*
el papel	*role*
el papel principal	*leading role*
el papel secundario	*supporting role*
la película en blanco y negro	*black and white film*
la película muda	*silent film*
el plató	*set*
presentar	*to present*
el primer plano	*close-up*
el productor	*producer*
el rodaje	*filming*
rodar	*to film*
la toma	*shot*
el trailer	*trailer*

para todos los públicos	*suitable for all ages*
él estaba en esta película	*he was in this film*
la película tiene subtítulos en español	*the film has Spanish subtitles*
la película se está proyectando por todo el mundo	*the film is showing all over the world*
una película en cuatro partes	*a film in four parts*

la película no es fiel al libro	*the film does not stick to the book*
adaptada para el cine	*adapted for the cinema*
estar rodando exteriores	*to be on location*
ver una película	*to watch a film*
basada en la novela X del mismo nombre	*based on the novel X of the same name*
por el ganador del Oscar X	*by the Oscar-winning X*
pronto en estas pantallas	*coming soon to this cinema*
se mantuvo en cartelera durante dos años	*it ran for two years*

LA DANZA

actuar	*to perform*
el bailaor	*flamenco dancer*
bailar claqué	*to tap dance*
el bailarín/la bailarina	*dancer*
el baile de salón	*ballroom dancing*
el ballet	*ballet*

la compañía	*company*
la coordinación	*co-ordination*
la coreografía	*choreography*
el coreógrafo	*choreographer*
la danza jazz	*jazz dance*
el movimiento	*movement*
la primera bailarina	*prima ballerina*

recibir clases de ballet	*to take ballet lessons*
formación en danza contemporánea	*training in contemporary dance*
la danza moderna	*modern dance*

EL ARTE

abstracto	*abstract*
el aguafuerte	*etching*
las artes gráficas	*graphic arts*
el artista	*artist*
el aspecto	*aspect*
las bellas artes	*fine arts*
el bodegón	*still life*

el bosquejo	*sketch*
la colección	*collection*
el cuadro original	*original painting*
el dibujo	*drawing*
el diseño	*design*
el escultor	*sculptor*
la escultura	*sculpture*
el estudio	*studio*

la exposición	*exhibition*	el paisaje	*landscape*
el fondo	*background*	la perspectiva	*perspective*
la fotografía	*photography*	el pincel	*brush*
la galería	*gallery*	la pintura a la acuarela	*watercolour*
el grabado	*engraving*	la pintura al óleo	*oil painting*
la imitación	*imitation*	representar	*to represent*
inmortalizar	*to immortalize*	el retrato	*portrait*
el lienzo	*canvas*	la retrospectiva	
el objeto	*object*		*retrospective (exhibition)*
la obra de arte	*work of art*	la vanguardia	*forefront*

el arte moderno	*modern art*
un talento prometedor	*a promising talent*
expresa algo muy importante	*it expresses something very important*
pintar con pintura al óleo	*to paint in oils*

LA MÚSICA

el altavoz	*loudspeaker*	el ensayo	*rehearsal*
la armonía	*harmony*	la estrella de pop	*pop star*
la canción	*song*	el grupo de rock	*rock band*
el/la cantante	*singer*	la guitarra eléctrica	*electric guitar*
el canto	*singing*	improvisar	*to improvise*
la composición	*composition*	instrumental	*instrumental*
el compositor	*composer*	instrumentar	*to orchestrate*
compuesto por	*composed by*	el instrumento	*instrument*
el coro	*choir*	los instrumentos de cuerda	
el cuarteto	*quartet*		*stringed instruments*
el director (de orquesta)	*conductor*	los instrumentos de metal	
el disco compacto	*CD*		*brass instruments*
ensayar	*to rehearse*	el jazz	*jazz*
		la lista de éxitos	*charts*
		la melodía	*melody*

melódico	*melodic*
el melómano	*music lover*
el mezclador de sonido	*sound mixer*
la música folk	*folk music*
el músico	*musician*
la ópera	*opera*
la orquesta	*orchestra*
la ovación	*ovation*
la partitura	*score (musical)*
el pentagrama	*staff*
la pieza musical	*piece of music*
el recital	*recital*

el ritmo	*rhythm*
la sala de conciertos	*concert hall*
el sencillo	*single*
la sinfonía	*symphony*
solfear	*to sol-fa*
el solfeo	*sol-fa*
el solista	*soloist*
el sonido	*sound*
el virtuoso	*virtuoso*
el vocalista	*vocalist*
la zarzuela	*Spanish operetta*

X está en la lista de éxitos esta semana	*X is in the charts this week*
X es número uno	*X is number one*
sacar un nuevo álbum	*to release a new album*
practicar regularmente	*to practice regularly*
repentizar/leer música	*to sight-read/to read music*
música clásica/contemporánea	*classical/contemporary music*
en cuatro movimientos	*in four movements*
tocar de oído	*to play by ear*
X dirige la orquesta esta noche	*X is conducting the orchestra tonight*

LA CRÍTICA

agradable	*enjoyable*
ambicioso	*ambitious*
asombroso	*amazing*
atmosférico	*atmospheric*
complicado	*complicated*
conmovedor	*moving*

convincente	*convincing*
decepcionante	*disappointing*
desastroso	*disastrous*
divertido	*amusing*
efectivo	*effective*
encantador	*charming*
entretenido	*entertaining*

31

espléndido	*splendid*	lacrimógeno	*tear-jerking*
eterno	*eternal*	lleno de acción	*action-packed*
excitante	*exciting*	loable	*praiseworthy*
exitoso	*successful*	magnífico	*magnificent*
experimental	*experimental*	mediocre	*mediocre*
expresivo	*expressive*	nuevo	*new*
extraordinario	*remarkable*	objetivo	*objective*
flojo de argumento	*thin on plot*	opresivo	*oppressive*
genial	*brilliant*	peculiar	*unique*
histórico	*historic*	preciso	*accurate*
impresionante	*impressive*	prometedor	*promising*
inexpresivo	*inexpressive*	sentimental	*sentimental*
innovador	*innovative*	serio	*serious*
interesante	*interesting*	subjetivo	*subjective*
inusual	*unusual*	trivial	*trivial*

tener un enorme éxito	*to be a big hit*
tener buenas críticas	*to get good reviews*
X tuvo una actuación irrepetible	*X gave a once-in-a-lifetime performance*
me dejé llevar por la obra	*I was carried along by the play*
corriente y moliente	*run-of-the-mill*

CÓMO AMPLIAR TU VOCABULARIO

Cuando estés aprendiendo un grupo de palabras pertenecientes a un mismo campo semántico, divídelas en diferentes secciones.

P.ej., dentro del tema *arte,* puedes hacer la siguiente clasificación:

persona que realiza la acción: artista	resultado de la acción: obra	con que se realiza: material	acción: actividad
pintor	pintura	lienzo pincel paleta pintura caballete	pintar
diseñador	diseño	lápiz ordenador papel	diseñar
músico	canción ópera sinfonía	violín piano órgano	tocar interpretar

También puedes clasificar los adjetivos en negativos y positivos.

P.ej., en el tema *La cultura:*

positivos	negativos
agradable	desagradable
divertido	aburrido
impresionante	decepcionante

Cada vez que aprendas una palabra acuérdate de apuntarla en tu cuaderno de vocabulario y de hacer una frase donde uses la nueva palabra.

LA SALUD

EL TABACO

el alquitrán	*tar*
antisocial	*antisocial*
el anuncio de tabaco	*cigarette advert*
bajo en nicotina	*low-nicotine*
la calada	*puff*
el cáncer de pulmón	*lung cancer*
el cigarrillo	*cigarette*
la colilla	*stub*
dejar de	*to give up*
las dificultades respiratorias	
	breathing difficulties

el fumador	*smoker*
el fumador pasivo	*passive smoker*
fumar	*to smoke*
el hábito	*habit*
inhalar	*to inhale*
la nicotina	*nicotine*
la pipa	*pipe*
el pitillo (*inf*)	*fag*
el puro	*cigar*
el tabaquismo	*addiction to tobacco*
la tos del fumador	*smoker's cough*

el tabaco perjudica seriamente la salud	*tobacco seriously damages health*
fumar diez cigarrillos al día	*to smoke ten cigarettes a day*
la campaña antitabaco	*anti-smoking campaign*
ser un fumador empedernido	*to be a heavy smoker*
la habitación está llena de humo	*the room is full of smoke*
dejar de fumar	*to give up smoking*

LA DROGA

la adicción	*addiction*
la adicción a la heroína	
	heroin addiction
el adicto a la droga	*drug addict*

la alucinación	*hallucination*
la brigada de estupefacientes	
	drug squad
el camello (*sl*)	*drug pusher*
la cocaína	*cocaine*

34

el cocainómano	*cocaine addict*
colocado (*sl*)	*high (on drugs)*
el consumo de drogas	*drug taking*
la dosis	*dose*
el drogadicto	*drug taker*
drogarse	*to take drugs*
el efecto	*effect*
esnifar (*sl*)	*to sniff*
el hachís	*hashish*
la heroína	*heroin*
el heroinómano	*heroin addict*
la hierba (*sl*)	*grass*
intravenoso	*intravenous*
inyectar	*to inject*
la jeringuilla	*syringe*
la legalización	*legalisation*

el mono (*sl*)	*withdrawal symptoms*
el narcótico	*narcotic*
el narcotraficante	*drug trafficker*
el narcotráfico	*drugs traffic*
el perro antidroga	*sniffer dog*
el pico (*sl*)	*shot*
el porro (*sl*)	*joint*
la rehabilitación	*rehabilitation*
el riesgo de infección	*risk of infection*
el síndrome de abstinencia	*withdrawal syndrome*
la sobredosis	*overdose*
el traficante de droga	*drug dealer*
el tráfico de drogas	*drug trafficking*
el yonqui (*sl*)	*junkie*

inhalar pegamento	*to glue-sniff*
adormecer las frustraciones con...	*to calm one's frustrations with ...*
cambiar tu personalidad	*to change your personality*
sustancias dañinas que se introducen en el cuerpo	*harmful substances which get into the body*
librarse de las inhibiciones	*to blow away inhibitions*
bajo el efecto del hachís	*under the influence of hashish*
un programa de reinserción	*a programme of reintegration*
darle al porro (*sl*)	*to smoke dope regularly*
ser un esclavo de la droga	*to be a slave to drugs*
fumar un porro (*sl*)	*to smoke a joint*
ser un drogata (*sl*)	*to be a druggie*
droga blanda/dura	*soft/hard drug*

EL ALCOHOL

el abstemio	*teetotaller*
el alcohólico	*alcoholic*
el alcoholímetro	*Breathalyser* ®
el alcoholismo	*alcoholism*
alcoholizar	*to alcoholise*
la bebida alcohólica	*alcoholic drink*
el borracho (*inf*)	*drunk*
el copeo/chateo (*inf*)	*pub crawl*

ebrio	*intoxicated*
la embriaguez	*drunkenness*
estar trompa (*inf*)	*to be stoned*
la excitabilidad	*excitability*
la intoxicación alcohólica	*alcohol poisoning*
la resaca	*hangover*
sobrio	*sober*
vomitar	*to be sick*

inducir a alguien a la bebida	*to drive somebody to drink*
bajo los efectos del alcohol	*under the influence of alcohol*
si bebes no conduzcas	*don't drink and drive*
0,8 ml de alcohol en la sangre	*0.8 ml of alcohol in the blood*
darse a la bebida	*to go on the booze*
estar como una cuba (*inf*)	*to be stoned*

EL SIDA

el análisis de sangre	*blood test*
los anticuerpos del SIDA	*HIV antibodies*
el banco de sangre	*blood bank*
la célula	*cell*
el condón/preservativo	*condom*
diagnosticar	*to diagnose*
el donante de sangre	*blood donor*
la epidemia	*outbreak*
el hemofílico	*haemophiliac*
el homosexual	*homosexual*
infectar	*to infect*

la inmunodeficiencia	*immune deficiency*
la mutación	*mutation*
la prevención	*prevention*
la promiscuidad	*promiscuity*
la prueba del SIDA	*AIDS test*
seronegativo	*HIV negative*
seropositivo	*HIV positive*
el síndrome	*syndrome*
el sistema inmunológico	*immune system*
la transfusión de sangre	*blood transfusion*
la unidad de enfermos de SIDA	*AIDS ward*

pasar el virus a la pareja	*to pass the virus on to a sexual partner*
un cambio en el comportamiento sexual	*a change in sexual behaviour*
morir de SIDA	*to die of AIDS*
contraer el virus	*to contract the virus*

EL ABORTO

abortar *to have an abortion/miscarriage*

el abortista/anti-abortista
  abortion/anti-abortion campaigner

el embarazo no deseado
  unwanted pregnancy

el embrión	*embryo*
el feto	*foetus*

la gestación	*gestation*
la interrupción del embarazo	
	termination of pregnancy
legalizar	*to legalise*
la orientación	*counselling*
la prueba de embarazo	*pregnancy test*
punible	*punishable*
la violación	*rape*

aborto clandestino	*backstreet abortion*
razones para la interrupción del embarazo	*reasons for termination*
asesoramiento cualificado de la mujer embarazada	*qualified counselling for the pregnant woman*
legalización del aborto	*legalisation of abortion*
la campaña contra el aborto	*anti-abortion campaign*
malformaciones en el feto	*malformation in the foetus*
campaña para la despenalización del aborto	*campaign for the decriminalisation of abortion*
matar a un ser humano	*to kill a human being*

LOS ALIMENTOS Y LAS BEBIDAS

el aditivo	*additive*
ahumado	*smoked*
el almuerzo	*lunch*

el apetito	*appetite*
la bebida	*drink*
la caloría	*calorie*
el carbohidrato	*carbohydrate*
la cena	*dinner*

la cocina casera	home cooking
el colorante artificial	artificial colouring
el comestible	edible
la comida	meal
la conserva	canned food
el conservante	preservative
desnatado	skimmed
el diabético	diabetic
la dieta	diet
el edulcorante	sweetener
endulzado	sweetened
engordar	to put on weight
los entremeses	hors d'oeuvres
envasado al vacío	vacuum-packed
la fibra	fibre
la golosina	sweet
la grasa animal	animal fat
la grasa vegetal	vegetable fat
el ingrediente	ingredient

la leche en polvo	powdered milk
la legumbre	pulse, legume
el marisco	seafood, shell fish
la merienda	afternoon snack
nutritivo	nourishing
el pan integral	wholemeal bread
perder peso	to lose weight
el plato	dish
el plato combinado	one-course meal
el plato principal	main course
el postre	dessert
la receta	recipe
el sabor	taste
la tapa	snack
el valor nutritivo	nutritional value
vegetariano	vegetarian
la verdura	vegetables
la vitamina	vitamin

el zumo de frutas es rico en	fruit juice is rich in
tener bajo nivel nutritivo	to have a low nutritional value
una dieta equilibrada	a balanced diet
¡buen provecho!	enjoy your meal!
tener la tensión alta	to have high blood pressure
estar en forma	to be fit
aumentar los niveles de colesterol en tu sangre	to raise cholesterol levels in your blood
alimentos ricos en fibra	food rich in fibre

LAS ENFERMEDADES Y LOS TRATAMIENTOS

la alergia	allergy
el analgésico	pain-killer
la automedicación	self-medication
benigno	benign
el cáncer	cancer
la circulación	circulation
la cirugía estética	plastic surgery
el cirujano	surgeon
el coágulo	clot
el colesterol	cholesterol
el comprimido	tablet
contagiarse (de)	to become infected (with), to catch
curar	to cure
la diabetes	diabetes
el efecto secundario	side effect
la embolia cerebral	clot on the brain
la erupción	rash
el estrés	stress
la hipertensión	high blood pressure
hipocondríaco	hypochondriac
la hipotensión	low blood pressure
el infarto	heart attack
infeccioso	infectious
la inflamación	inflammation

maligno	malignant
el marcapasos	pacemaker
la medicina	medicine
el médico	doctor
miope	short-sighted
el nivel de azúcar en la sangre	blood-sugar level
la operación	operation
operar	to operate
la píldora	pill
el problema de peso	weight problem
los problemas circulatorios	circulation problems
los rayos X	X-rays
la receta	prescription
el reconocimiento	examination
el seguro médico	medical insurance
el síndrome de Down	Down's syndrome
sufrir (de)	to suffer (from)
el tranquilizante	tranquillizer
el transplante	transplant
transplantar	to transplant
el tratamiento	treatment
el tumor	tumour
la vacunación	vaccination
vacunarse contra	to be vaccinated against

morir con dignidad	to die with dignity
llevar una vida sana	to lead a healthy life
el chequeo	check-up

estar en cuidados intensivos · *to be in intensive care*

padecer una enfermedad incurable · *to suffer from an incurable illness*

tener una lesión grave · *to have a serious injury*

CÓMO AMPLIAR TU VOCABULARIO

Si encuentras la ortografía difícil, prueba el método siguiente:

1 Cuando estés aprendiendo un grupo de palabras pertenecientes a un mismo tema, elige unas 20 o 30 y escríbelas en español y en inglés, pero reemplazando las letras más difíciles de las palabras en español por líneas.

P.ej. *examination* - rec_ _ _ _ _ _ _ _ _ *to*
      clot   - co_ _ _ _o

Mira la lista algunos días después y prueba a rellenar los espacios en blanco. Apunta las palabras que no escribas correctamente en tu cuaderno y trata de memorizarlas. Al día siguiente, repite el ejercicio.

Es conveniente repetir el mismo ejercicio a la semana siguiente para fijar definitivamente las palabras en tu memoria.

2 Juega con tu compañero. Escribe una lista de nombres en español; cada palabra deberá tener un error de ortografía.

P.ej. paziente - patient

Muestra la lista a tu compañero que deberá tratar de corregir los errores. Cuando tu compañero los haya corregido, le toca a él escribir una lista parecida.

LOS PROBLEMAS SOCIALES

LA GENTE SIN HOGAR

la caja de cartón	cardboard box
desamparado	helpless, unprotected
despreciar	to despise
la dignidad	dignity
gorronear (inf)	to scrounge
intimidar	to intimidate
marginado	rejected, excluded
la mendicidad	begging
el mendigo	beggar
la miseria	misery
el músico callejero	busker

el ocupante ilegal/el okupa (coll)	squatter
pedir	to beg
la pérdida del hogar	loss of home
la persona desaparecida	missing person
la pobreza	poverty
proveer de vivienda	to house
sobrevivir	to survive
la sociedad de consumo	consumer society
el vagabundo	tramp
la vergüenza	shame
vulnerable	vulnerable

decadencia de la sociedad	social decline
vivir en la miseria	to live in poverty
buscar refugio	to seek refuge
no tener medios de subsistencia	to have no means of subsistence
condiciones de vida insalubres	insanitary living conditions
dormir al raso	to sleep rough
sin domicilio fijo	of no fixed abode
vagar de un lado a otro	to wander from place to place
apariencia descuidada	neglected appearance
ser rechazado por la sociedad	to be rejected by society
fugarse de casa	to run away from home
ser echado de tu casa	to be thrown out of your home

41

EL CRIMEN

el abuso a menores	child abuse
agredir/atacar	to attack
la agresión	assault
el agresor	attacker
el allanamiento de morada	housebreaking
amenazar	to threaten
apuñalar	to stab
armado	armed
el asesino	murderer
el atraco	hold-up
atrapar	to catch
el chantaje	blackmail
el criminal	criminal
dar una paliza (inf)	to beat up
la delincuencia juvenil	juvenile delinquency
la estafa	swindle
la evasión fiscal	tax evasion
el fraude	fraud
el hurto	shoplifting
ilegal	illegal
el incendio provocado	arson
el índice de criminalidad	crime rate
el infractor	criminal offender
el ladrón	thief
el malhechor	wrong-doer
la ofensa al pudor	indecent assault
el pirómano	arsonist
la prevención del crimen	crime prevention
el proxeneta	pimp
el robo	theft
el robo a mano armada	armed robbery
secuestrar	to kidnap
serio	serious
sobornar	to bribe
el terrorismo	terrorism
el vandalismo	vandalism
la víctima	victim
la violación	rape
violento	violent

causar mucho daño	to do a lot of damage
delincuente juvenil	juvenile delinquent
alarma antirrobo	burglar alarm
una banda organizada	an organised gang
cometer un crimen	to commit a crime
la lucha contra el crimen	the fight against crime

EL TERRORISMO

la amenaza de bomba	*bomb scare*
el artificiero	*bomb expert*
asesinar	*to murder*
el asesinato	*murder*
el asesino	*murderer*
el atentado terrorista	*terrorist outrage*
la bomba	*bomb*
el coche bomba	*car bomb*
desactivar	*to defuse*
los disturbios	*riots*
ETA (Euskadi Ta Askatasuna)	
	ETA (Basque separatist group)

el etarra	*member of ETA*
el herido	*injured person*
herir	*to injure*
la independencia	*independence*
mutilar	*to mutilate*
la organización terrorista	
	terrorist organisation
el rehén	*hostage*
revolucionario	*revolutionary*
sangriento	*bloody*
separatista	*separatist*
el terrorismo	*terrorism*
el terrorista	*terrorist*

un asesinato a sangre fría	*a cold-blooded murder*
desactivar una bomba	*to defuse a bomb*
reivindicar el atentado	*to claim responsibility for the attack*
el efecto devastador de los atentados terroristas	*the devastating effect of terrorist outrages*
la mayoría de las víctimas se eligen por motivos simbólicos	*most of the victims are selected for symbolic reasons*

LA JUSTICIA

el abogado	*lawyer, barrister*
absolver	*to acquit*
el acusado	*defendant*
acusar	*to accuse*
arrestar	*to arrest*
las atenuantes	
	extenuating circumstances
atenuar	*to extenuate*

la cadena perpetua	*life imprisonment*
el castigo	*punishment*
condenar	*to convict*
el culpable	*guilty person*
defender	*to defend*
el demandante	*claimant*
demandar	*to sue*
detener	*to detain*
en flagrante delito	*red-handed*

el error judicial	*miscarriage of justice*	la prueba	*proof, (piece of) evidence*
inocente	*innocent*	el/la reincidente	*reoffender*
el juez	*judge*	el servicio comunitario	
el juicio	*trial*		*community service*
el jurado	*jury*	la sospecha	*suspicion*
la multa	*fine*	el testigo	*witness*
la pena capital	*capital punishment*	el tribunal	*court*
la pena de muerte	*death penalty*	el tribunal de menores	*juvenile court*
el perjurio	*perjury*	el tribunal supremo	*high court*
presunto	*alleged*	la violación de la ley	*breach of the law*
el proceso judicial	*legal process*		

bajo juramento	*on oath*
procesar	*to prosecute*
llevar a alguien a juicio	*to take someone to court*
proceder contra alguien	*to take proceedings against someone*
ganar/perder un caso	*to win/lose a case*
el presunto culpable	*the presumed culprit*
la protesta no procede	*objection overruled*
acusado de tres asesinatos	*charged with three murders*
condenado a dos años de cárcel	*sentenced to two year's imprisonment*
ser condenado injustamente	*to be wrongly convicted*
incriminar a alguien	*to frame someone*
apelar	*to appeal*
suprimir la pena de muerte	*to abolish the death penalty*

LA CÁRCEL

		la cárcel	*jail*
		el carcelero	*prison officer*
abarrotado	*overcrowded*	la celda	*cell*
los antecedentes penales		detenido	*arrested*
	criminal record		

la disciplina	*discipline*	la prisión femenina	*women's prison*
encarcelar	*to imprison*	el prisionero	*prisoner*
la falta de espacio	*lack of space*	la reclusión	*confinement*
liberar	*to release, to set free*	la reclusión solitaria	
la libertad condicional	*probation*		*solitary confinement*
la orden judicial	*warrant*	reformar	*to reform*
la penitenciaría	*prison*	la rehabilitación	*rehabilitation*
el preso preventivo	*remand prisoner*	la reintegración	*reintegration*
la prisión de máxima seguridad		el sistema penal	*penal system*
	maximum-security prison		

CÓMO AMPLIAR TU VOCABULARIO

Cuando aprendas nuevas palabras, agrúpalas haciendo asociaciones. Piensa en una palabra y escríbela, (p.ej. *juicio*). Después, escribe todas las palabras que conozcas que tengan relación con ella, formando un diagrama como éste:

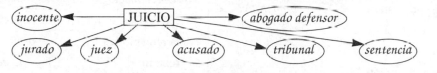

Éste es un ejercicio que se puede hacer individualmente o con los compañeros. Podéis poner un tiempo limitado y hacer una competición con los demás. El que más palabras asociadas consiga en un minuto es el ganador.

LA ECONOMÍA

El Comercio

arriesgado	*risky*
arriesgar	*to risk*
la asociación	*partnership*
los beneficios	*profits*
los bienes	*goods*
la carta comercial	*business letter*
la clientela	*customers*
la compra	*purchase*
el consumidor	*consumer*
la contabilidad	*accounting*
la cooperativa	*co-operative*
el descuento	*reduction*
la empresa	*firm*
la exportación	*export*
la fabricación	*manufacture*
la factura	*bill*
la filial	*subsidiary office*
la gama de productos	*product range*

la guerra de precios	*price war*
las horas laborables	*business hours*
la importación	*import*
el margen de beneficio	*profit margin*
el mayorista	*wholesaler*
la mercancía	*merchandise*
el minorista	*retailer*
las pérdidas	*losses*
el producto	*product*
la promoción	*special offer*
las rebajas	*sales*
la reclamación	*complaint*
reembolsar	*to refund*
la rentabilidad	*profitability*
repartir	*to deliver*
el riesgo	*risk*
la venta a plazos	*hire purchase*
la venta al por mayor	*wholesale*
la venta al por menor/al detalle	*retail sale*

aumentar/bajar los precios	*to increase/lower prices*
el reparto a domicilio	*home delivery service*
responder a las necesidades de los clientes	*to meet the customers' needs*
la oferta y la demanda	*supply and demand*
sociedad anónima (S.A.)	*public limited company (plc)*
sociedad limitada (S.L.)	*limited company (Co. Ltd.)*
ser un negocio rentable	*to be a profitable business*
importaron bienes por valor de	*they imported goods to a value of*
poner algo a la venta	*to put something on sale*

LA BANCA

ahorrar	*to save*
la banca	*the banks, banking*
bruto	*gross*
la caja de ahorros	*savings bank*
el cajero	*cash point*
el cambio	*exchange*
la carta de crédito	*credit card*
el cheque	*cheque*
el crédito	*credit*
la cuenta corriente	*current account*
la cuenta de ahorro	*savings account*
el depósito	*deposit*
las divisas	*foreign currency*

la hipoteca	*mortgage*
hipotecar	*to mortgage*
el interés	*interest*
neto	*net*
el número secreto	*PIN number*
el préstamo	*loan*
prestar	*to lend*
retirar	*to withdraw*
el saldo deudor	*overdraft*
el sector bancario	*banking industry*
la sucursal	*branch*
la tarjeta de crédito	*credit card*
la transacción	*transaction*

cobrar un cheque	*to cash a cheque*
ingresar dinero en una cuenta	*to pay money into an account*
estar en números rojos	*to be in the red*
domiciliar una cuenta	*to debit an account directly*
descuento por pago al contado	*cash discount*
pedir un préstamo	*to ask for a loan*
abrir/cerrar una cuenta	*to open/close an account*
el saldo de una cuenta	*the account balance*
pagar en metálico	*to pay by cash*

LAS FINANZAS

la acción	*share*
el accionista	*shareholder*
el agente de Bolsa	*stockbroker*
el año fiscal	*tax year*

la bancarrota	*bankruptcy*
el billón	*billion*
la Bolsa	*Stock Exchange*
el capital	*capital*
la carga fiscal	*tax burden*

47

el contribuyente	*taxpayer*	el libre mercado	*free-trade*
la crisis	*crisis*	el millón	*million*
la deuda pública	*national debt*	la nacionalización	*nationalisation*
endeudarse	*to get into debt*	nacionalizar	*to nationalise*
especular	*to speculate*	las perspectivas	*prospects*
la factura	*invoice*	el porcentaje	*percentage*
facturar	*to invoice*	el presupuesto	*budget*
financiar	*to finance*	la privatización	*privatisation*
el fraude fiscal	*tax evasion*	privatizar	*to privatise*
el gasto	*expenditure*	el quebrado	*bankrupt (person)*
el impuesto sobre la renta	*income tax*	la recesión	*recession*
la inflación	*inflation*	el recibo	*receipt*
insolvente	*insolvent*	solvente	*solvent*
la inversión	*investment*	la subida de los precios	*price rise*
el inversor	*investor*		
IVA (el impuesto sobre el valor añadido)	*VAT (value added tax)*		

subir los impuestos	*to raise taxes*
invertir en acciones	*to invest in shares*
la devaluación/revaluación de la peseta	*the devaluation/revaluation of the peseta*
la tasa de inflación	*inflation rate*
el déficit exterior es muy alto	*the balance of payments deficit is very high*
declararse en bancarrota	*to go bankrupt*
la balanza de pagos	*the balance of payments*
favorecer el crecimiento económico	*to encourage economic growth*
el poder adquisitivo	*purchasing power*

──── CÓMO AMPLIAR TU VOCABULARIO ────

Otro juego para ampliar tu conocimiento de vocabulario: el juego de la *escalera*. Juega con tu compañero/a o en grupo. Escoged una letra. Cada jugador tiene que ir construyendo la *escalera*. El jugador que construya la escalera más larga en cinco minutos es el que gana.

P.ej: 1 *s*
     2 *su*
     3 *sol*
     4 *sofá*
     5 *sello*
     6 *suelto*
     7 *soltero*
     ....

Apunta las palabras nuevas que digan otros compañeros en tu cuaderno de vocabulario.

LA TECNOLOGÍA Y LA INVESTIGACÍON CIENTÍFICA

LOS APARATOS DE LA VIDA MODERNA

el acondicionador (del aire)	*air-conditioner*
la alarma antiincendios	*fire alarm*
la alarma antirrobo	*burglar alarm*
los aparatos electrodomésticos	*domestic appliances*
la aspiradora	*vacuum cleaner*
el cajero automático	*automatic cash point*
la calculadora	*calculator*
el cassette	*cassette*
la cinta de vídeo	*videotape*
desenchufar	*to unplug*

el disco compacto/compact disc	*compact disc*
enchufar	*to plug in*
el enchufe	*electric point*
el equipo de alta fidelidad	*hi-fi system*
el horno microondas	*microwave oven*
la lavadora	*washing machine*
el lavaplatos	*dishwasher*
el secador de pelo	*hair-dryer*
la secadora	*tumble-drier*
la televisión por cable/satélite	*cable/satellite television*
el vídeo	*video-recorder*
la videocámara	*video-camera*

una mejor calidad de vida	*a better quality of life*
ahorrar mucho tiempo	*to save a lot of time*
poner la lavadora	*to put the washing machine on*
trabajar más eficazmente	*to work more effectively*

LA INFORMÁTICA

el almacenamiento de datos	*data storage*
almacenar	*to store*
la base de datos	*database*

cancelar	*to cancel*
el chip	*chip*
el circuito	*circuit*
la clave de acceso	*password*
compatible	*compatible*

la copia pirata	*pirate copy*	el ordenador	*computer*
el cursor	*cursor*	la pantalla	*screen*
el disco duro	*hard disk*	portátil	*portable*
el disquete/disco flexible	*floppy disk*	la potencia	*power*
el documento	*document*	el procesador de textos	*word-processor*
la impresora láser	*laser printer*	procesar	*to process*
informatizar	*to computerize*	el programador	*programmer*
insertar	*to insert*	programar	*to programme*
instalar	*to install*	el ratón	*mouse*
el joystick	*joystick*	el software	*software*
el mando	*control*	el teclado	*keyboard*
la memoria	*memory*	el terminal	*terminal*
el menú	*menu*	la unidad de disco	*disk drive*
el módem	*modem*	el virus	*virus*
el monitor	*monitor*		

la era de la informática	*the computer age*
entrar/salir del sistema	*to log on/off*
enseñanza asistida por ordenador	*computer-assisted learning*
la revolución informática	*the information-technology revolution*
adictos a los ordenadores	*addicted to computers*
está siempre con el ordenador	*he/she is always at the computer*
introdujeron un virus	*they introduced a virus*
los servicios informáticos	*computer services*

LA INVESTIGACIÓN CIENTÍFICA

		el biólogo	*biologist*
		la ciencia	*science*
los avances tecnológicos		el científico	*scientist*
	technological advances	desarrollar	*to develop*
el bienestar	*welfare*	el equipo	*equipment*
la biología	*biology*	experimentar	*to experiment*

el experimento	*experiment*	el laboratorio	*laboratory*
la física	*physics*	el proceso	*process*
el físico	*physicist*	la química	*chemistry*
la investigación científica		el químico	*chemist*
	scientific research	los resultados	*results*
el investigador	*researcher*	la sustancia	*substance*
investigar	*to research*	la tecnología	*technology*

la alta tecnología/tecnología punta	high technology
vivimos en una sociedad desarrollada	we live in a developed society
promover la investigación científica	to promote scientific research
el desarrollo científico	scientific development

CÓMO AMPLIAR TU VOCABULARIO

Aprovecha la tecnología para aprender nuevas palabras. Graba en un cassette las palabras y frases que encuentres útiles para tratar de un tema determinado. Primero léelas en español, deja una pausa y tradúcelas al inglés. Finalmente, dejando otra pausa, repítelas en español.

P.ej: *tecnología – technology – tecnología*

Escucha la grabación varias veces e intenta decir la palabra en español durante la segunda pausa. De esta forma practicas la pronunciación y fijas el significado en tu mente.

LOS MEDIOS DE
COMUNICACIÓN

EL TRANSPORTE

el accidente	accident
aparcar	to park
el atasco	traffic jam
aterrizar	to land
el autobús	bus, coach
el/la automovilista	motorist
la autopista	motorway
la autopista de peaje	toll motorway
la autovía	dual carriageway
la calzada	roadway
la carretera de peaje	toll road
el cinturón de seguridad	seatbelt
conducir	to drive

el cruce a distinto nivel
motorway junction (on a different level)

el cruce al mismo nivel
motorway junction (on same level)

despegar	to take off (a plane)
facturar el equipaje	to check in
la gasolina	petrol
el límite de velocidad	speed limit
la línea aérea	airline
modernizar	to modernize
el peaje	toll
el permiso de conducir	driving licence
la red de carreteras	road network

la RENFE (Red Nacional de los
Ferrocarriles Españoles)
Spanish Railways

el tráfico	traffic

el tren de alta velocidad
high-speed train

la velocidad	speed
el vuelo chárter	charter flight
el vuelo regular	scheduled flight
la zona peatonal	pedestrian precinct

el uso del transporte público	the use of public transport
planificar la red de carreteras	to plan the road network
invertir en la infraestructura	to invest in the infrastructure
una catástrofe debida a un fallo mecánico	a disaster caused by a mechanical fault
acortar las distancias	to reduce the distances
modernizar los servicios de transporte	to modernize the transport services
el avión de pasajeros	passenger aircraft
el Ministerio de Transportes	Ministry of Transport

LA TELEVISIÓN

la antena	*aerial*
la antena parabólica	*satellite dish*
el anuncio	*advertisement*
borroso	*blurred*
la cadena	*channel*
la 'caja tonta' *(inf)*	*goggle-box*
la calidad de imagen	*picture quality*
el canal de televisión	
	television channel
captar	*to receive*
el concurso	*contest*
el contraste	*contrast*
el control remoto	*remote control*
el corresponsal en el extranjero	
	foreign correspondent
el decodificador	*decoder*
el documental	*documentary*
la emisión	*broadcast*
la emisión deportiva	
	sports programme
emitir	*to broadcast*
encender/apagar	*to switch on/off*
el episodio	*episode*
el equipo de filmación	*camera crew*
grabar	*to record, to video*
la hora de emisión	*broadcast time*
la hora de máxima audiencia	
	peak viewing time
la interferencia	*disturbance*
la interrupción	*interruption*
el invitado	*guest*
local	*local*
el locutor	*announcer*

el locutor de telediario	*newscaster*
el mercado del vídeo	*video market*
las noticias	*news*
las noticias de última hora	*newsflash*
la pantalla	*screen*
la película	*film*
la pequeña pantalla	*the small screen*
el programa de tertulia	*chat show*
la programación	*programme planning*
el promotor	*promoter*
la recepción	*reception*
la red	*network*
regional	*regional*
la reposición	*repeat*
la serie	*series*
la tecnología de satélite	
	satellite technology
la tele *(inf)*	*telly*
el telediario	*television news bulletin*
la telenovela	*soap opera*
el telespectador	*TV viewer*
el teletexto	*teletext*
la televisión en blanco y negro	
	black and white TV
la televisión en color	*colour TV*
la televisión matinal	
	breakfast television
la televisión por cable	*cable television*
la transmisión en diferido	
	recorded transmission
la transmisión en directo	
	live transmission
transmitir	*to transmit*
vía satélite	*via satellite*

una ventana abierta al mundo	*a(n open) window on the world*
la televisión difunde cultura	*television propagates culture*
traer el mundo a tu hogar	*to bring the world into your home*
llegar a todos	*to reach everyone*
con subtítulos para aquéllos con problemas de audición	*with subtitles for the hard of hearing*
programas habituales	*regular programmes*
X es un canal privado	*X is a private channel*
quedarse pegado al televisor	*to be glued to the television*
sentarse delante de la caja tonta *(inf)*	*to sit in front of the box*
cambiar a otro canal	*to switch over to another channel*
la presentadora es Isabel Gemio	*the presenter is Isabel Gemio*

LA RADIO

la banda de frecuencias	*waveband*	el micrófono	*microphone*
la calidad de sonido	*sound quality*	la onda	*wave*
la emisora de radio	*radio station*	el oyente	*listener*
emitir	*to broadcast*	el pinchadiscos	*disc jockey*
el entrevistador	*interviewer*	el presentador	*presenter*
estéreo	*stereo*	el programa radiofónico	*radio programme*
la frecuencia	*frequency*	la radio	*radio*
el locutor de radio	*announcer*	la radio pirata	*pirate radio station*
la longitud de onda	*wavelength*	la radiodifusión	*broadcasting*

sintonizar Radio España	*to tune into Radio España*
programa regional	*regional programme*
en directo desde el estudio	*live from the studio*

LA PRENSA

los archivos	*archives*
el artículo	*article*
el artículo de fondo	*leading article*
la columna	*column*
el comentario	*commentary*
el comunicado de prensa	*press release*
la conferencia de prensa	*press conference*
la contribución	*contribution*
el corresponsal	*correspondent*
la crónica literaria	*literary page*
demandar	*to sue*
el diario	*daily paper*
difamatorio	*libellous*
la documentación	*documentation*
los ecos de sociedad	*gossip column*
el editor	*publisher*
el editorial	*editorial (article)*
el ejemplar	*copy*
el equipo de redacción	*editorial team*
la errata	*misprint*
la exclusiva	*exclusive*
ilustrado	*illustrated*
imprimir	*to print*

la investigación	*investigation*
la libertad de prensa	*freedom of the press*
mensualmente	*monthly*
la noticia	*news item*
el número de lectores	*readership*
el periodismo	*journalism*
el/la periodista	*journalist*
la prensa amarilla	*gutter press*
la primicia informativa	*scoop*
el redactor	*editor*
el reportaje	*report*
el reportero	*reporter*
la revista	*magazine*
la revista del corazón	*glossy magazine*
la sección de contactos	*personal column*
la sección deportiva	*sports section*
la sección económica	*financial pages*
el semanario	*weekly paper*
la subscripción	*subscription*
el subscriptor	*subscriber*
el suplemento	*supplement*
la tirada	*print run*
el titular	*headline*

tener informado al lector	*to keep the reader informed*
garantizar la libertad de expresión	*to guarantee free speech*
la prensa sensacionalista	*the gutter press*
un periódico de calidad	*a quality newspaper*

56

subscribirse a un periódico	*to subscribe to a newspaper*
según fuentes bien informadas	*according to well-informed sources*
ser noticia de primera plana	*to hit the headlines*
el deber público de la prensa	*the public duty of the press*
información objetiva	*objective reporting*
la revista de modas	*fashion magazine*
pornografía dura/blanda	*hard/soft porn*
entrometerse en la vida privada de alguien	*to intrude on someone's privacy*

LA PUBLICIDAD

la agencia de publicidad	*advertising agency*
el anuncio clasificado	*classified advert*
el anuncio publicitario	*advert*
la campaña publicitaria	*advertising campaign*
la cartelera	*billboard*
el consumidor	*consumer*
convencer	*to convince*

deformar la realidad	*to distort the truth*
engañoso	*deceitful*
el eslogan	*slogan*
incrementar las ventas	*to increase sales*
el intermedio	*commercial break*
la muestra gratuita	*free sample*
persuadir	*to persuade*
el póster	*poster*
promocionar	*to promote*

influencia la vida de millones	*it influences the lives of millions*
tener un efecto en alguien	*to have an effect on someone*
X influencia la vida de los jóvenes	*young people's lives are influenced by X*
el lavado de cerebro	*brainwashing*
vivimos en una sociedad de consumo	*we live in a consumer society*
X se financia a través de la publicidad	*X is dependent on advertising*
perjudicial para los jóvenes	*harmful to young people*
dejarse manipular por	*to let oneself be manipulated by*
te incita a gastar dinero	*it encourages you to spend money*

GENERAL

la actitud	*attitude*
anunciar	*to announce*
el censor	*censor*
la censura	*censorship*
comunicar	*to convey*
la desinformación	*disinformation*
educativo	*educational*
efectivo	*effective*
el entendimiento	*understanding*
escrito	*written*
expresarse	*to express oneself*
hablado	*spoken*

incitar	*to incite*
influenciar	*to influence*
informar	*to inform*
los medios de comunicación de masas	*mass media*
objetivo	*objective*
parcial	*one-sided*
la pornografía	*pornography*
pornográfico	*pornographic*
propagar	*to disseminate*
la propaganda	*propaganda*
el subconsciente	*sub-consciousness*
los temas de actualidad	*current affairs*
la transmisión	*transmission*

CÓMO AMPLIAR TU VOCABULARIO

Cuando estés aprendiendo un nuevo grupo de palabras, puedes crear tus propios juegos:

Elije una palabra de muchas letras (p.ej. *periodismo)* y trata de formar cuantas palabras puedas usando sus letras, p.ej.

período, medio, medir, odio, oído, pero, oír, río, dios, oro,... .

Puedes hacerlo tú solo (es un buen ejercicio) o concursar con más compañeros (el ganador puede ser el que más palabras consiga o el que consiga la palabra más larga).

¡Y acuérdate de anotar en tu cuaderno de vocabulario las palabras que otros digan y que son nuevas para ti!

EL MEDIO AMBIENTE

LA CONTAMINACIÓN

agotar   *to exhaust*

el agujero en la capa de ozono
  hole in the ozone layer

alarmante   *alarming*

el clima   *climate*

la contaminación   *contamination*

el contaminante   *pollutant*

contaminar   *to pollute*

dañar   *to damage*

dañino   *harmful*

el desastre ecológico
  environmental disaster

desconsiderado   *inconsiderate*

descontaminar   *to decontaminate*

los desechos tóxicos   *toxic waste*

la desertización
  (process of) turning into a desert

la destrucción de la capa de ozono
  destruction of the ozone layer

la ecología   *ecology*

ecológico   *ecological*

el ecosistema   *ecosystem*

el efecto invernadero
  greenhouse effect

en peligro de extinción   *endangered*

la energía solar   *solar power*

envenenado   *poisoned*

envenenar   *to poison*

el equilibrio ecológico
  ecological balance

evitar   *to avoid*

la extinción   *extinction*

la gasolina sin plomo   *lead-free petrol*

irreversible   *irreversible*

el movimiento ecologista
  ecology movement

la niebla tóxica   *smog*

el petróleo   *crude oil*

la política energética   *energy policy*

la polución   *pollution*

la polución atmosférica   *air pollution*

el producto orgánico
  organically grown product

la protección   *protection*

proteger   *to protect*

los rayos ultravioletas   *ultraviolet rays*

los recursos naturales
  natural resources

la reducción   *reduction*

reemplazar   *to replace*

salvaguardar   *to safeguard*

salvar   *to save*

la selva tropical   *rainforest*

el sistema ecológico   *ecological system*

la supervivencia   *survival*

tóxico   *poisonous*

LOS ELEMENTOS CONTAMINANTES

el aerosol	*aerosol*
la bolsa de plástico	*plastic bag*
la central eléctrica	*power station*
la central nuclear	*nuclear power-station*
el cloro	*chlorine*
el clorofluorocarbono	*CFC (chlorofluorocarbon)*
los combustibles fósiles	*fossil fuels*
el consumo de energía	*energy consumption*
deforestar	*to deforest*
despilfarrar	*to squander*
el dióxido de carbono	*carbon dioxide*
el fertilizante	*fertiliser*
el fosfato	*phosphate*

los gases contaminantes	*polluting gases*
la gasolina con plomo	*leaded petrol*
los hidrocarburos	*hydrocarbons*
la lluvia ácida	*acid rain*
la mancha de petróleo	*(small) oil slick*
la marea negra	*oil spill, (large) oil slick*
el mercurio	*mercury*
el metano	*methane*
el nitrógeno	*nitrogen*
el oxígeno	*oxygen*
el pesticida	*pesticide*
el poliestireno	*polystyrene*
los residuos radioactivos	*radioactive waste*
la sociedad consumista	*consumer society*
el spray	*spray*

las sustancias que dañan la capa de ozono	*substances which harm the ozone layer*
el nivel del mar está aumentando	*the sea-level is rising*
la amenaza al equilibrio ecológico	*the threat to the ecological balance*
un producto que no daña el medio ambiente	*an environmentally friendly product*
los temas ecológicos	*the green issues*
el recalentamiento del planeta	*global warming*
usar una crema que proteja contra los rayos ultravioleta (UV)	*to use a cream which protects against ultraviolet rays (UV)*
estar en contra del uso de la energía nuclear	*to be against the use of nuclear energy*
el desperdicio de nuestros recursos	*the wastage of our resources*
cambios en el ecosistema	*changes in the ecosystem*

el riesgo para la salud	*health hazard*
hacer que la gente se conciencie	*to raise people's consciousness*
dañar el medio ambiente	*to damage the environment*

LA ELIMINACIÓN DEL MATERIAL DE DESECHO

el contenedor	*container*
el contenedor de vidrio	*bottle bank*
el cubo de la basura	*dustbin*
el desecho biológico	*biological waste*
los desechos industriales	*industrial waste*
los desperdicios	*waste products*
el envase de vidrio	*glass container*
el envase no retornable	*non-returnable empty*
el envase retornable	*returnable empty*
la incineración	*incineration*

el incinerador	*incinerator*
el material sintético	*synthetic material*
el papel reciclado	*recycled paper*
el papel usado	*waste paper*
el reciclaje	*recycling*
reciclar	*to recycle*
la recogida de basuras	*rubbish collection*
reutilizable	*reusable*
reutilizar	*to reuse*
el triturador de basuras	*waste disposal unit*
el vertedero	*rubbish dump*
verter	*to dump*

los materiales reciclables van en el contenedor verde	*recyclable materials go in the green dustbin*
aumentar el uso de los envases retornables	*to increase the use of returnable empties*
los incineradores producen problemas de contaminación	*incinerators produce pollution problems*

LOS DERECHOS DE LOS ANIMALES

anestesiar	*to anaesthetise*
atroz	*atrocious*
la caza	*hunting*

la caza de ballenas	*whale hunting*
el cazador furtivo	*poacher*
el cobayo (fig)	*guinea pig*
el conejillo de indias	*guinea pig*
la corrida de toros	*bull fighting*

criar	*to breed*		la foca	*seal*
la crueldad	*cruelty*		la investigación médica	
domar	*to tame*			*medical investigation*
entrenar	*to train*		el matadero	*slaughterhouse*
la especie amenazada			prohibir	*to ban*
	endangered species		sentir pena por	*to feel pity for*
el experimento	*experiment*		el sufrimiento	*suffering*
la extinción	*extinction*		la vivisección	*vivisection*
la fauna	*wildlife*			

el comercio ilegal de marfil	*the illegal trade in ivory*
el defensor de los derechos de los animales	*animal rights activist*
estar a favor de la prohibición de	*to be in favour of a ban on*
estar en contra de la exportación de ganado	*to be against the exportation of livestock*
paradas cada 8 horas cuando se transporta ganado	*rest periods every 8 hours when transporting livestock*
la crueldad con los animales	*cruelty to animals*

Cómo ampliar tu vocabulario

Para ampliar tu conocimiento de vocabulario prueba este juego:

Juega con varios compañeros. Limitad el vocabulario a un campo semántico, p.ej. *El medio ambiente*. El primer jugador comienza diciendo: *Ayer me encontré un/a...* y añade un nombre, p.ej. *fertilizante*. El siguiente deberá repetir la frase, pero añadiendo otra palabra más, de forma que la lista se va haciendo cada vez más larga.

El jugador que cometa un error queda eliminado. El siguiente comienza otra vez. El juego termina cuando sólo quede un jugador.

Puedes hacerlo más difícil todavía haciendo que cada jugador diga un nombre acompañado de un adjetivo, p.ej. *gas contaminante, lluvia ácida,...* .

EL MUNDO EN QUE VIVIMOS

LAS RELACIONES INTERNACIONALES: UE Y LA OTAN

LA UE

la adhesión	membership
el arancel	customs tariff
la barrera de aduanas	customs barrier
la burocracia	bureaucracy
el ciudadano	citizen
la comunidad	community
el Consejo de Europa	Council of Europe
el convenio	agreement
la cooperación	co-operation
el desarrollo industrial/económico	industrial/economic development
el diputado europeo	Euro MP
la homologación	standardisation
la integración	integration
la libre circulación	freedom of movement
la libre competencia	free competition
el Mercado Común	Common Market
el mercado único	single market
la modernización	modernisation
modernizar	to modernise
la moneda única	single currency
el monopolio	monopoly
las negociaciones	negotiations
negociar	to negotiate
el Pacto de Adhesión	Membership Pact
los países miembros	member countries
el Parlamento Europeo	European Parliament
el pasaporte comunitario	Community passport
pasar la frontera	to cross the border
el proteccionismo	protectionism
el Sistema Monetario Europeo (SME)	European Monetary System (EMS)
la soberanía	sovereignty
el tratado	treaty
la unidad de cuenta europea (UCE)	European Currency Unit (ECU)
la unión aduanera	customs union
la unión europea	European Union

la Política Agraria Común (PAC)	Common Agricultural Policy (CAP)
el ingreso de España en el Mercado Común	the entry of Spain into the Common Market

reforzar el sentimiento europeo — *to strengthen European feeling*

perder la identidad nacional — *to lose the national identity*

unión económica y monetaria — *economic and currency union*

igualdad de oportunidades para todos los europeos — *equal opportunities for all Europeans*

aumento de las importaciones — *increase in imports*

LA OTAN

la Alianza Atlántica — *Atlantic Alliance*

la base americana — *American base*

la carrera de armamentos — *arms race*

la cumbre — *summit meeting*

el equilibrio militar — *military balance*

la guerra fría — *the Cold War*

la intervención militar — *military intervention*

los objetivos militares — *military objectives*

la Organización del Tratado del Atlántico del Norte (OTAN) — *North Atlantic Treaty Organisation (NATO)*

el Pacto de Varsovia — *Warsaw Pact*

la seguridad — *security*

el valor estratégico — *strategic value*

el presupuesto para la defensa — *the defence budget*

el referéndum para el ingreso de España en la OTAN — *the referendum for the entry of Spain into NATO*

LA GUERRA

la agresión armada — *armed aggression*

el aliado — *ally*

el armisticio — *armistice*

atacar — *to attack*

el ataque — *attack*

la bomba atómica — *atomic bomb*

el cohete — *rocket*

la confrontación — *confrontation*

declarar la guerra — *to declare war*

derrotar — *to defeat*

disparar — *to fire (a gun)*

la ejecución — *execution*

estar en guerra — *to be at war*

evacuar — *evacuate*

la guerra civil — *civil war*

la guerra mundial	*world war*	el misil	*missile*
la guerra nuclear	*atomic warfare*	el mutilado de guerra	
la guerra química	*chemical warfare*		*disabled war veteran*
una guerra sangrienta	*a bloody war*	perder la guerra	*to lose the war*
invadir	*to invade*	rendirse	*to surrender*
la invasión	*invasion*	torturar	*to torture*
las maniobras	*manoeuvres*	el ultimátum	*ultimatum*
la máscara antigás	*gas mask*	vencer	*to beat*

recurrir a la fuerza	*to resort to force*
las matanzas colectivas	*mass killings*
hubo numerosas víctimas	*there were heavy casualties*
la ruptura de una tregua	*the breaking of a truce*
aplicar sanciones económicas	*to apply economic sanctions*
el holocausto nuclear	*nuclear holocaust*
la pérdida de territorio	*loss of territory*
las relaciones diplomáticas	*diplomatic relations*
la guerra de guerrillas	*guerrilla warfare*

EL SERVICIO MILITAR

		no apto	*unsuitable*
		el objetor de conciencia	
el desertor	*deserter*		*conscientious objector*
el ejército profesional		la prórroga	*deferment*
	professional army	el recluta	*recruit*
las fuerzas armadas	*armed forces*	ser obligatorio	*to be compulsory*
el insumiso		ser voluntario	*to be voluntary*
man who refuses to do military service		el servicio militar	*military service*
la mili *(inf)*	*military service*	el voluntario	*volunteer*

el servicio militar debería ser voluntario	*military service should be voluntary*
mucha gente odia la disciplina del ejército	*many people hate military discipline*

LA PAZ

el alto al fuego	*cease-fire*
el desarmamento	*disarmament*
disuadir	*to deter*
disuasivo	*deterrent*
firmar la paz (con)	
	to make peace (with)
firmar un tratado	*to sign a treaty*

la iniciativa de paz	*peace initiative*
el movimiento pacifista	
	peace movement
pacificador	*peace-making*
el pacifismo	*pacifism*
la paz	*peace*
ser pacifista	*to be a pacifist*
el tiempo de paz	*peacetime*

un llamamiento al cese de hostilidades	*a call for the end of hostilities*
una manifestación pacifista	*peace demonstration/march/rally*
buscar una negociación	*to seek negotiations*
la campaña antimilitarista	*anti-military campaign*

LA RELIGIÓN

adorar	*to worship*
el agnóstico	*agnostic*
Alá	*Allah*
el Alcorán/Corán	*Koran*
el alma *(f)*	*soul*
el ateísmo	*atheism*
el ateo	*atheist*
bendecir	*to bless*
la Biblia	*Bible*
el Budismo	*Buddhism*
el Catolicismo	*Catholicism*
convertir a	*to convert to*
creer en Dios	*to believe in God*
las creencias religiosas	
	religious beliefs

el creyente	*believer*
cristianizar	*to convert to Christianity*
el cristiano	*Christian*
la cruz	*cross*
el culto	*worship*
el cura	*priest*
el demonio	*devil*
la fe	*faith*
el Hinduísmo	*Hinduism*
el infierno	*hell*
la inmortalidad	*immortality*
ir a misa	*to go to mass*
el Islam	*Islam*
el Judaísmo	*Judaism*
el judío	*Jew, Jewish*

la mezquita	*mosque*	ser católico practicante	
el milagro	*miracle*		*to be a practising Catholic*
el musulmán	*Muslim*	ser escéptico	*to be sceptical*
el obispo	*bishop*	la tolerancia religiosa	
el Papa	*Pope*		*religious tolerance*
el Protestantismo	*Protestantism*	la vocación religiosa	
el sacerdote	*priest*		*religious vocation*

practicar una religión	*to practise a religion*
los enfrentamientos religiosos	*religious confrontations*
creer en la vida despúes de la muerte	*to believe in life after death*
la infalibilidad del Papa	*the infallibility of the Pope*
convertir (a alguien) al catolicismo	*to convert (somebody) to Catholicism*
bautizar a un niño	*to baptise/christen a child*
perder la fe	*to lose one's faith*
estar en contra de mi religión	*to be against my religion*
la jerarquía eclesiástica	*ecclesiastical hierarchy*

EL TERCER MUNDO

el agua potable	*drinking water*	la enfermedad	*disease*
el analfabetismo	*illiteracy*	la esperanza de vida	*life expectancy*
analfabeto	*illiterate*	la explosión demográfica	
la chabola	*shanty*		*population explosion*
el chabolismo		explotar	*to exploit*
problem related to the 'chabolas'		el hambre (*f*)	*famine*
el control de natalidad	*birth control*	la inflación	*inflation*
la desigualdad	*inequality*	la malnutrición crónica	
la desnutrición	*malnutrition*		*chronic malnutrition*
la deuda	*debt*	las materias primas	*raw materials*
empobrecerse	*to grow poorer*	mendigar	*to beg*
		la miseria	*misery*
		morir de hambre	*to die of starvation*

67

la mortalidad infantil	*infant mortality*		el pillaje	*pillage*
oprimido	*oppressed*		el régimen corrupto	*corrupt regime*
el país en vías de desarrollo			la sequía	*drought*
	developing country		el sufrimiento	*suffering*
el país industrializado			la superpoblación	*over-population*
	industrialised country		la supervivencia	*survival*
el país subdesarrollado			la tasa de mortalidad	*mortality rate*
	underdeveloped country		el terremoto	*earthquake*
el país tercermundista				
	a third-world country			

las organizaciones caritativas	*charity organisations*
la alfabetización de la población	*teaching people to read and write*
vivir a expensas del Tercer Mundo	*to live at the expense of the Third World*
un niño demacrado	*an emaciated child*
tener una esperanza de vida baja	*to have a low life expectancy*
llegar a los necesitados	*to reach the needy*
depender de la caridad	*to depend on charity*

LA VIDA URBANA

			estresante	*stressful*
el anonimato	*anonymity*		la inseguridad	*insecurity*
aparcar	*to park*		la multa	*fine*
el atasco	*traffic jam*		la periferia	*outskirts*
atracar	*to mug*		la polución	*pollution*
el atraco	*mugging*		el rascacielos	*skyscraper*
el ayuntamiento			los servicios públicos	*public services*
	town hall, town council		el transporte público	*public transport*
el casco urbano	*city centre*		la vecindad	*neighbourhood*
el cepo	*wheelclamp*		la vivienda	*dwelling*
la ciudad dormitorio	*dormitory town*		la zona peatonal	*pedestrian zone*
el ciudadano	*citizen*			

los problemas de la zona céntrica	*inner city problems*
inseguridad ciudadana	*lack of safety in the streets*
la gente tiende a quedarse en casa	*people have a tendency to stay at home*
una sensación de soledad	*a feeling of loneliness*
el problema del tráfico	*the traffic problem*
ofrece muchos entretenimientos	*it offers many entertainments*

LA VIDA RURAL

la agricultura	*agriculture*
el aire puro	*pure air*
el aislamiento	*isolation*
la calma	*calm*
el campesino	*peasant*
la caza	*hunting*
la cosecha	*harvest*
el cotilleo	*gossip*
el despoblamiento	*depopulation*
el encanto	*charm*
el éxodo rural	*drift from the land*

fértil	*fertile*
la forma de vida	*way of life*
la ganadería	*cattle breeding*
la granja	*farm*
la huerta	*market garden*
la naturaleza	*nature*
la parcela	*small plot*
la pesca	*fishing*
pintoresco	*picturesque*
el terreno	*plot*
la vida rural	*village life*

disfrutar de la paz	*to enjoy the peace*
respirar el aire puro del campo	*to breathe the pure air of the countryside*
falta de transportes públicos	*lack of public transport*
depender de un coche	*to be dependent on a car*
no hay privacidad	*there isn't any privacy*
la belleza del paisaje	*the beauty of the scenery*
tener tiempo para relacionarse con los demás	*to have time to socialise*

CÓMO AMPLIAR TU VOCABULARIO

Cuando aprendes palabras y frases, tu memoria intenta agrupar las que van juntas, de forma que una palabra o frase te recuerde a las otras. Observa las diferentes agrupaciones que puedes hacer:

Palabras...

A ... que se refieren a un mismo tema   ➤   *enfermedad/ataque al corazón/ antiinflamatorio/vacuna*

B ... con significado similar   ➤   *filmar/rodar*

C ... con significado opuesto   ➤   *éxito/fracaso*

D ... ordenadas en forma de escalera   ➤   *letra - palabra - oración - párrafo - página - capítulo - libro*

E ... construidas partiendo de la misma palabra   ➤   *amar - enamorarse - amante - amoroso*

F ... que forman pasos dentro de un mismo proceso   ➤   *enviar un currículo - acudir a una entrevista - conseguir un trabajo*

Éstas son algunas de las formas más prácticas de formar agrupaciones. Cuando encuentres una palabra nueva, *recuerda* que relacionarla con otras ya conocidas es la mejor forma de aprenderla.

ESPAÑA

LA DICTADURA

el aislamiento	*isolation*
el Caudillo	
	Spanish fascist leader (Franco)
el concordato	*concordat*
el cuartelazo	*military uprising*
el dictador	*dictator*
la dictadura	*dictatorship*
el facha	*slang term for Fascist*
la falange	*Falange (Fascist party)*

el fascismo	*Fascism*
el fascista	*Fascist*
el franquismo	*the Franco policy*
el golpe de estado	*coup d'état*
el golpismo	*tendency to military coups*
el golpista	*participant in a coup*
el régimen	*regime*
represivo	*repressive*
totalitario	*totalitarian*

bajo el franquismo	*under Franco*
un régimen represivo	*a repressive regime*
Franco gobernó en España como dictador hasta su muerte	*Franco ruled Spain as dictator until his death*
el régimen se convirtió en una monarquía a través de un referéndum en 1947	*the regime turned itself into a monarchy by a referendum in 1947*
el ostracismo internacional	*international ostracism*
la corrupción del gobierno	*government corruption*
el Tejerazo	*attempted coup by Colonel Tejero of the Civil Guard, 23 February 1981*

LA DEMOCRACIA

el abstencionismo	*abstentionism*
la administración	*administration*
la asamblea	*assembly*
la autoridad	*authority*
el boicot	*boycott*
boicotear	*to boycott*
la Cámara de los Comunes	*House of Commons*

la Cámara de los Lores	*House of Lords*
la campaña electoral	*election campaign*
el capitalismo	*capitalism*
la circunscripción	*constituency*
el ciudadano	*citizen*
la clase alta	*upper class*
la clase baja	*lower class*

la clase media	middle class
la clase obrera/trabajadora	working class
la coalición	coalition
el comunismo	communism
comunista	communist
el Congreso de los Diputados	the Congress of Deputies (House of Commons)
conservador	conservative
la constitución	constitution
constitucional	constitutional
las Cortes	Spanish Parliament
la cumbre	summit meeting
el debate	debate
decretar	to decree
el decreto	decree
el delegado	delegate
democrático	democratic
derechista (adj)	right-wing
los derechos humanos	human rights
el desacuerdo	disagreement
la dimisión	resignation
el diputado	MP
el discurso	speech
la elección general	general election
la elección municipal	council election
el electorado	electorate
elegir	to elect
el funcionario	civil servant
gobernar	to govern
el gobierno	government
el grupo político	political group

ir a las urnas	to go to the polls
izquierdista (adj)	left-wing
el jefe de estado	head of state
legislar	to legislate
legislativo	legislative
el/la líder	leader
el liderazgo	leadership
manifestarse	to demonstrate
la mayoría	majority
la oposición	opposition
el parlamento	parliament
el partido	party
el plebiscito	plebiscite
la política	politics
la política exterior	foreign policy
el político	politician
el portavoz	spokesperson
el presidente del gobierno/primer ministro	prime minister
el pucherazo (inf)	electoral fiddle
la ratificación	ratification
el referéndum	referendum
la regulación	regulation
la sesión parlamentaria	parliamentary session
el socialismo	socialism
socialista	socialist
la transición a la democracia	transition to democracy
las urnas	ballot boxes
votar	to vote
el voto	vote

en Mayo iremos a las urnas	*we will go to the polls in May*
hacer un llamamiento al gobierno	*to appeal to the government*
es políticamente correcto	*it is politically correct*
en el plano político	*on a political level*
estar a favor de medidas a largo/corto plazo	*to be in favour of long-/short-term measures*
conseguir una mayoría absoluta	*to get an absolute majority*
una gran proporción de la población	*a large proportion of the population*
estar de acuerdo con la política	*to agree with the politics*
la caída del gobierno	*the downfall of the government*
una derrota aplastante	*a crushing defeat*
la ruptura de las conversaciones	*the breakdown of talks*

LAS AUTONOMÍAS

la autodeterminación	*self-determination*
la autonomía	*self-government*
la burocracia	*bureaucracy*
las competencias	*powers*
la Comunidad Autónoma	*self-governing region (in Spain)*
las elecciones autonómicas	*election in a self-governing region*
Euskadi	*the Basque Country*
el euskera	*Basque language*
el gobierno regional	*regional government*
la lengua catalana	*the Catalan language*
la lengua gallega	*the Galician language*
la lengua vasca	*the Basque language*
el nacionalismo	*nationalism*
el País Vasco	*the Basque Country*

el derecho a la autonomía	*the right to self-government*
el separatismo vasco	*Basque separatism*
respetar la tradición	*to respect tradition*
conservar la lengua	*to preserve the language*
conservar su propia identidad	*to keep its unique identity*
las competencias transferidas a las comunidades autónomas	*the powers transferred to the autonomous regions*

UNA REGIÓN DE ESPAÑA

accidentada	*hilly*
la atmósfera	*atmosphere*
la característica	*characteristic*
el carnaval	*carnival*
concentrarse	*to be concentrated*
conmemorar	*to commemorate*
el contraste	*contrast*
cultivable	*suitable for cultivation*
el desarrollo	*development*
desprovisto de	*deprived of*
el dinamismo	*dynamism*
dotado de	*endowed with*
la economía diversificada	*varied economy*
la economía regional	*regional economy*
enorgullecerse de	*to pride itself on*
la expansión	*expansion*
el factor	*factor*
famoso por	*famous for*
floreciente	*flourishing*
el hábitat	*habitat*
la imagen pública	*public image*
el litoral	*shore, coast*
llano	*flat*
medieval	*medieval*
meridional	*southern*
la mezcla	*mixture*
orgulloso de	*proud of*
el paisaje	*countryside*
el patrimonio cultural	*cultural heritage*
la pluviosidad	*average rainfall*
poblado	*populated*
promocionarse	*to promote itself*
la prosperidad	*prosperity*
retrasado	*backward*
la riqueza	*wealth*
septentrional	*northern*
sofisticado	*sophisticated*
típico	*typical*
tradicional	*traditional*
los vestigios históricos	*historical remains*
vinícola	*wine-growing*
la vitalidad	*vitality*

su situación geográfica privilegiada	*its privileged geographical position*
la suavidad de su clima	*the mildness of its climate*
la desaparición de las industrias tradicionales	*the disappearance of traditional industries*
la región se beneficia de	*the area benefits from*

CÓMO AMPLIAR TU VOCABULARIO

• Escribe en tarjetas las palabras nuevas pertenecientes a un mismo tema.

• Pon en un lado la palabra en español y en el otro la palabra inglesa correspondiente.

• Coloca las tarjetas sobre la mesa de forma que puedas ver las palabras españolas.

• Prueba a dar la traducción al inglés.

• Después, pon las tarjetas de forma que muestren las palabras en inglés e intenta decir las palabras españolas correspondientes.

• Guarda las tarjetas en una caja (clasificadas por temas) y repite el juego de cuando en cuando.

Puedes usar pequeños ficheros para guardar las tarjetas de esta forma:

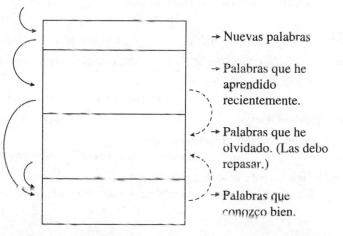

→ Nuevas palabras

→ Palabras que he aprendido recientemente.

→ Palabras que he olvidado. (Las debo repasar.)

→ Palabras que conozco bien.

Repasa las palabras o expresiones de vez en cuando. Traslada las tarjetas de unas secciones a otras.

P.ej: Si has olvidado una palabra ya conocida, deberás colocarla en la sección de palabras olvidadas (que debes repasar) y cuando la hayas aprendido, volverá a la sección de palabras que conoces bien.

LA EXPOSICIÓN DE UN TEMA

FRASES ÚTILES PARA UNA COMPOSICIÓN

A INTRODUCCIÓN DEL TEMA

1 Deberías situar el tema dentro de un contexto:

es un problema que afecta a todas las clases sociales
it is a problem that affects all levels of society

éste es un tema que nos interesa a todos   *this is a topic that interests all of us*

este tema provoca mucha controversia   *this question causes lots of controversy*

la importancia de este problema no puede ser subestimada
the importance of this problem cannot be overstated

éste no es un problema nuevo   *this is not a new problem*

el problema ha alcanzado tales proporciones que...
the problem has reached such proportions that ...

este problema es mucho más serio de lo que la gente piensa
this problem is much more serious than people think

2 También deberías indicar en la introducción qué es lo que vas a exponer:

vamos a examinar los argumentos a favor y en contra
let us examine the arguments for and against

trataré de determinar las causas principales de...
I shall try to determine the main causes of ...

mi objetivo principal es...   *my main aim is ...*

veamos las ventajas y los inconvenientes
let us see the advantages and the disadvantages

vamos a abordar el aspecto de...   *let us tackle the aspect of ...*

para tener una visión más clara de la situación   *to have a clearer picture of the situation*

76

B EL DESARROLLO DEL ARGUMENTO

1 Puedes empezar un párrafo con una pregunta retórica:

¿es posible generalizar?	*is it possible to generalise?*
¿cómo podemos, entonces, tratar el problema de...?	
	how then shall we deal with the problem of ... ?
¿es el problema tan grave como parece?	*is the problem as serious as it seems?*
¿podemos decir que...?	*can we say that ... ?*

2 Otras frases para empezar un párrafo incluirían:

para comenzar, sería útil...	*to start off, it would be useful to ...*
vamos a considerar, en primer lugar,...	*let us first consider ...*
para profundizar en el tema	*to go into the matter in more depth*
a primera vista	*at first sight*
en primer/segundo/tercer lugar	*in the first/second/third place*
para empezar, examinemos...	*to start off with let us examine ...*
otro aspecto del problema es...	*another side of the problem is ...*
vamos a abordar otro aspecto	*let us tackle another aspect*

3 Cuando quieras establecer un hecho o certeza puedes utilizar frases como:

no cabe duda de que...	*there's no room for doubt that ...*
no se puede negar que	*one can't deny that ...*
parece ser que...	*it seems that ...*
lo que es cierto es que...	*what is certain is that ...*
se calcula que...	*it is estimated that ...*
es indudable que...	*there is no doubt that ...*
la verdad es que...	*the fact of the matter is that ...*
el factor más importante es que...	*the most important factor is that ...*
como todo el mundo sabe	*as everyone knows*
un 50% de los entrevistados opinaron que...	
	fifty per cent of those interviewed considered that ...
según algunos estudios	*according to some studies ...*
durante los últimos años	*during recent years*

se ha dicho que...	*it has been claimed that ...*
es sabido que...	*it's known that ...*
es claro que...	*it's clear that ...*
es verdad que...	*it's true that ...*
de acuerdo con una investigación	*according to an investigation*
actualmente se calcula que...	*at the moment it is estimated that ...*

4 Para expresar tus opiniones o las de otros:

es escandaloso...	*it is scandalous to ...*
sería una locura...	*it would be madness to ...*
uno debe ponerse en contra de...	*one must object to ...*
es intolerable que...	*it's intolerable that ...*
me parece lógico que...	*it seems logical to me that ...*
me preocupa que...	*I am worried that ...*
a mi parecer	*in my opinion*
personalmente	*personally*
a mi modo de ver	*in my view*
mucha gente piensa que...	*many people think that ...*
ésta no es una opinión que yo comparta	*this is not an opinion I share*
no estoy ni a favor ni en contra de esto	*I am neither for nor against it*
no estoy totalmente a favor de...	*I am not entirely in favour of ...*
eso sería demasiado optimista	*that would be too optimistic*
estoy a favor de...	*I am in favour of ...*
estoy en contra de...	*I am against ...*
a nadie le importa si...	*nobody cares whether ...*
es de extremada importancia que...	*it is of extreme importance that ...*
parece mentira que...	*it seems incredible that ...*
es inadmisible que...	*it's unacceptable that ...*
es lamentable que...	*it is to be regretted that ...*
es inútil...	*there's no point in ...*
es difícil de imaginar que...	*it's hard to imagine that ...*
es inconcebible que...	*it's inconceivable that ...*

es vergonzoso que...	*it's disgraceful that ...*
no me sorprende que...	*I am not surprised that ...*
la sociedad no puede tolerar...	*society cannot tolerate ...*

5 Cualquiera que sean tus opiniones, deberías mostrar las opiniones contrarias:

por otra parte	*on the other hand*
examinemos la otra cara de la moneda	*let us examine the other side of the coin*
por otro lado, algunos afirman que...	*on the other hand, some maintain that ...*
otro hecho que debería mencionar es...	*another fact that I should mention is ...*
otro lado del problema es...	*another side of the problem is ...*
las opiniones están divididas	*opinions are divided*

C CONCLUSIÓN

Al final de tu exposición necesitas resumir lo expuesto y llegar a una conclusión:

todo parece indicar que...	*everything seems to point to the fact that ...*
de esto se deduce que...	*it follows from this that ...*
uno podría bien preguntarse si...	*one might well wonder whether ...*
en definitiva	*when all the arguments have been heard*
teniendo en cuenta todos los puntos de vista	*taking into account all points of view*
para resumir	*to sum up*
concluyendo	*in conclusion*

EXPRESIONES COLOQUIALES

aguar la fiesta	*to be a wet blanket*
armar una bronca	*to start a fight*
cantarle las cuarenta (a alguien)	*to tell someone off*
dar la lata	*to make a nuisance of oneself*
dormir a pierna suelta	*to sleep like a log*
echar chispas	*to be hopping mad*
echar indirectas	*to make insinuations*
echar un trago	*to have a drink*
echar una cana al aire	*to have a little fling*
echar una ojeada a	*to glance at*
estar en las nubes	*to be day-dreaming*
estar hasta la coronilla (de)	*to be fed up (with)*
estar hecho un asco	*to be filthy*
estar sin blanca	*to be flat broke*
estirar la pata	*to kick the bucket*
faltarle un tornillo (a alguien)	*to have a screw loose*
hablar por los codos	*to talk one's head off*
hacer buenas migas	*to get along well*
hacer el ridículo	*to make a fool of oneself*
hacerse el sueco	*to pretend not to understand*
llevarse un chasco	*to have a disappointment*
llover a cántaros	*to rain cats and dogs*
meter las narices en todo	*to poke one's nose into everything*
no entender ni papa	*not to understand a thing*
no importar un bledo	*not to give a damn about it*
pedir peras al olmo	*to expect the impossible*
ser un viejo verde	*to be a dirty old man*
tener mal genio	*to be bad-tempered*
tener malas pulgas	*to be short-tempered*
tomarle el pelo (a alguien)	*to pull someone's leg*

LOS VERBOS Y EL INFINITIVO

Algunos verbos pueden ir seguidos de otro verbo en infinitivo. Unas veces el infinitivo sigue directamente al verbo y otras necesita preposiciones como: **a, de, con, en, por** y **para.**

Ej: Amenazó con denunciarme. *He threatened to report me.*
¿Quieres dejar de moverte? *Will you stop moving?*

El estudiante de lengua española encuentra muchas veces difícil el uso correcto de las preposiciones. Por ello, a continuación se incluye una lista de los verbos más comunes que pueden ir seguidos del infinitivo (con o sin preposición).

A Verbos que van seguidos directamente de un infinitivo:

aconsejar	*to advise to*	mandar	*to order to*
acordar	*to agree to*	necesitar	*to need to*
anhelar	*to long to*	negar	*to deny*
apetecer	*to feel like (doing)*	odiar	*to hate (doing)*
confesar	*to confess to*	ofrecer	*to offer to*
conseguir	*to manage to*	oír	*to hear (doing)*
creer	*to believe*	olvidar	*to forget to*
deber	*to have to/must/ought*	ordenar	*to order to*
decidir	*to decide to*	parecer	*to seem to*
dejar	*to let/to allow to*	pedir	*to ask to*
desear	*to want/to wish to*	pensar	*to intend to/to plan to*
elegir	*to chose to*	permitir	*to allow to*
esperar	*to hope/to expect to*	planear	*to plan to*
evitar	*to avoid (doing)*	poder	*to be able to*
fingir	*to pretend to*	preferir	*to prefer to*
hacer	*to make*	pretender	*to try to*
imaginar	*to imagine (doing)*	procurar	*to try hard to*
intentar	*to try to*	prohibir	*to forbid ... to*
jurar	*to swear to*	prometer	*to promise to*
lograr	*to manage to/to succeed in*	proponer	*to suggest (doing)*

querer	*to want to*	sentir	*to be sorry to*
recordar	*to remember to*	soler	*to be accustomed to*
rehusar	*to refuse to*	temer	*to fear to*
resolver	*to resolve to*	ver	*to see (doing)*
saber	*to know how to*		

B Los siguientes verbos van seguidos de 'a' + infinitivo:

acertar a	*to manage to*	impulsar a	*to urge to*
acostumbrarse a	*to be used to (doing)*	incitar a	*to incite to*
aficionarse a	*to grow fond of (doing)*	inclinar a	*to incline to*
animar a	*to encourage to*	invitar a	*to invite to*
aprender a	*to learn to*	ir a	*to be going to*
apresurarse a	*to hurry to*	llegar a	*to manage to*
atreverse a	*to dare to*	llevar a	*to lead to*
ayudar a	*to help to*	mandar a	*to send to*
comenzar a	*to begin to*	meterse a	*to begin to*
comprometerse a	*to undertake to*	negarse a	*to refuse to*
conducir a	*to lead to*	obligar a	*to oblige to*
contribuir a	*to contribute to*	oponerse a	*to be opposed to (doing)*
decidirse a		pasar a	*to go on to*
to decide to/to make up one's mind to		ponerse a	*to begin to*
dedicarse a	*to devote oneself to*	precipitarse a	*to rush to*
desafiar a	*to challenge ... to*	prepararse a	*to get ready to*
disponerse a	*to get ready to*	probar a	*to try to*
echarse a	*to begin to*	resignarse a	*to resign oneself to*
empezar a	*to begin to*	resistirse a	*to resist*
enseñar a	*to teach to*	romper a	*to start (suddenly) to*
esperar a	*to wait until*	tender a	*to tend to*
forzar a	*to force to*	volver a	*to do (something) again*

C Los siguientes verbos van seguidos de 'de' + infinitivo:

aburrirse de	*to get bored with (doing)*	acusar de	*to accuse of*
acabar de	*to have just*	alegrarse de	*to be pleased to*
acordarse de	*to remember*	asombrarse de	*to be surprised at (doing)*

avergonzarse de	*to be ashamed of*
cansarse de	*to tire of*
cesar de	*to stop (doing)*
cuidar de	*to take care to*
deber de	*to have to/must (supposition)*
dejar de	*to stop (doing)*
disuadir de	*to dissuade from*
encargarse de	*to take charge of*
guardarse de	*to take care not to*
haber de	*to have to*

hartarse de	*to be fed up with*
jactarse de	*to boast of*
olvidarse de	*to forget to*
parar de	*to stop (doing)*
pasar de *(inf)*	*to be uninterested in (doing)*
presumir de	*to boast about (doing)*
terminar de	*to stop (doing)*
tratar de	*to try to*

D Los verbos siguientes van seguidos de 'en', 'por', 'con' y 'para' + infinitivo:

acabar por	*to end up (doing)*
amenazar con	*to threaten with*
consentir en	*to consent to*
consistir en	*to consist of (doing)*
convenir en	*to agree to*
dudar en	*to hesitate to*
empezar por	*to begin by (doing)*
esforzarse en/por	*to struggle to*
hacer bien en	*to be right to*

hacer mal en	*to be wrong to*
insistir en	*to insist on*
interesarse en	*to be interested in*
luchar por	*to struggle for*
optar por	*to opt for*
pensar en	*to think of (doing)*
persistir en	*to persist in*
quedar en	*to agree to*
tardar en	*to take a long time (doing)*

──DIRECCIONES ÚTILES──

LA GENTE

Instituto de la Juventud, José Ortega y Gasset 71, 28006 Madrid
(Juventud, tiempo libre)
Instituto de la Mujer, CIDEM, Génova 11, 28010 Madrid
(Mujer)
Dirección General de la Mujer, Conde Peñalver 63, Madrid
(Mujer)

LA DIVERSIDAD

CEAR (Comisión Española de Ayuda al Refugiado), Avda. del General Perón 32
2ª, 28020 Madrid
(Inmigración)

LA EDUCACIÓN

Ministerio de Educación y Ciencia, Sección de Información, Iniciativas y
Reclamaciones, Alcalá 36 planta baja, 28014 Madrid
(Educación)

EL TIEMPO LIBRE

Organización Mundial del Turismo (OMT), Departamento de Comunicación y
Prensa, Capitán Haya 42, 28020 Madrid
(Turismo)

LA SALUD

Secretaría General del Consumo y Salud Pública, Paseo del Prado 18-20, 28071
Madrid
(Salud y consumo)
Instituto Nacional de Consumo, Príncipe de Vergara 54, 28071 Madrid
(Consumo)
Prosalus, María Panés 4, 28003 Madrid
(Salud y desarrollo en el tercer mundo)
ONCE (Organización Nacional de Ciegos Españoles), Avenida Monte Igueldo 12,
28010 Madrid
(Salud)

EL MEDIO AMBIENTE

Instituto Nacional para la Conservación de la Naturaleza (ICONA), Gran Vía de San Francisco 4, 28005 Madrid
(Medio ambiente)
Instituto para la Diversificación y Ahorro de la Energía, Paseo de la Castellana 95, 28046 Madrid
(Recursos energéticos)

EL MUNDO EN QUE VIVIMOS

Asociación Pro Derechos Humanos, Centro de documentación, José Ortega y Gasset 77 2° A, 28006 Madrid
(Derechos humanos)
Médicos sin fronteras, Departamento de Comunicación, Nou de la Rambla 26, 08001 Barcelona
(Tercer mundo)
Solidaridad Internacional, Glorieta de Quevedo 7 6° D, 28015 Madrid
(Derechos humanos, tercer mundo)
Centro de Investigación para la Paz (CIP), Departamento de Documentación, Alcalá 119, 4° izq, 28009 Madrid
(Paz)
Ayuda en Acción, Barquillo 8 1° derecha, 28004 Madrid
(Tercer mundo, marginación)
Parlamento Europeo, Oficina de Información en España, Centro de documentación, Fernanflor 4 7°, 28014 Madrid
(Parlamento Europeo)
Centro de Información de las Naciones Unidas para España, General Perón 32 1°, 28020 Madrid
(ONU)

LA CULTURA

Organización de Estados Iberoamericanos para la Educación, la Ciencia y la Cultura (OEI), Bravo Murillo 38, 28015 Madrid
(Cultura, educación, tecnología en Iberoamérica)
Ministerio de Cultura, Centro de Información, Plaza del Rey 1, 28071 Madrid
(Cultura)